総合判例研究叢書

民　法（27）

有 斐 閣

民法・編集委員

谷口知平
有泉亨

序

フランスにおいて、自由法学の名とともに判例の研究が異常な発達を遂げているのは、その民法典が百五十余年の齢を重ねたからだといわれている。それに比較すると、わが国の諸法典は、まだ若い。最も古いものでも、六、七十年の年月を経たに過ぎない。しかし、わが国の諸法典は、いずれも、近代的法制を全く知らなかつたところに輸入されたものである。そのことを思えば、この六十年の間に極めて重要な判例の変遷があつたであろうことは、容易に想像がつく。事実、わが国の諸法典は、それに関連する判例の研究でこれを補充しなければ、その正確な意味を理解し得ないようになつている。

判例が法源であるかどうかの理論については、今日なお議論の余地があろう。しかし、実際問題として、多くの条項が判例によつてその具体的な意義を明かにされているばかりでなく、判例によつて特殊の制度が創造されている例も、決して少くはない。判例研究の重要なことについては、何人も異議のないことであろう。

判例の創造した特殊の制度の内容を明かにするためにはもちろんのこと、判例によつて明かにされた条項の意義を探るためにも、判例の総合的な研究が必要である。同一の事項についてのすべての判決を採り、取り扱われた事実の微妙な差異に注意しながら、総合的・発展的に研究するのでなければ、判例の研究は、決して終局の目的を達することはできない。そしてそれには、時間をかけた克明な努力を必要とする。

幸なことには、わが国でも、十数年来、そうした研究の必要が感じられ、優れた成果も少くないようになつた。いまや、この成果を集め、足らざるを補ない、欠けたるを充たし、全分野にわたる研究を完成すべき時期に際会している。

かようにして、われわれは、全国の学者を動員し、すでに優れた研究のできているものについては、その補訂を乞い、また研究の尽されていないものについては、新たに適任者にお願いして、ここに「総合判例研究叢書」を編むことにした。第一回に発表したものは、各法域に亘る重要な問題のうち、研究成果の比較的早くでき上ると予想されるものである。これに洩れた事項でさらに重要なもののあることは、われわれもよく知つている。やがて、第二回、第三回と編集を継続して、完全な総合判例法の完成を期するつもりである。ここに、編集に当つての所信を述べ、協力される諸学者に深甚の謝意を表するとともに、同学の士の援助を願う次第である。

昭和三十一年五月

編集代表
小野清一郎　宮沢俊義
末川博　我妻栄
中川善之助

凡例

一 判例の重要なものについては、判旨、事実、上告論旨等を引用し、各件毎に一連番号を附した。

二 判例年月日、巻数、頁数等を示すには、おおむね左の略号を用いた。

大判大五・一一・八民録二二・二〇七七 （大審院判決録）

（大正五年十一月八日、大審院判決、大審院民事判決録二十二輯二〇七七頁）

大判大一四・四・二三刑集四・二六二 （大審院判例集）

最判昭二二・一二・一五刑集一・一・八〇 （最高裁判所判例集）

（昭和二十二年十二月十五日、最高裁判所判決、最高裁判所刑事判例集一巻一号八〇頁）

大判昭二・一二・六新聞二七九一・一五 （法律新聞）

大判昭三・九・二〇評論一八民法五七五 （法律評論）

大判昭四・五・二二裁判例三・刑法五五 （大審院裁判例）

福岡高判昭二六・一二・一四刑集四・一四・二一一四 （高等裁判所判例集）

大阪高判昭二八・七・四下級民集四・七・九七一 （下級裁判所民事裁判例集）

最判昭二八・二・二〇行政例集四・二・二三一 （行政事件裁判例集）

名古屋高判昭二五・五・八特一〇・七〇 （高等裁判所刑事判決特報）

東京高判昭三〇・一〇・二四東京高時報六・二・民二四九 （東京高等裁判所判決時報）

札幌高決昭二九・七・二三高裁特報一・二・七一（高等裁判所刑事裁判特報）
前橋地決昭三〇・六・三〇労民集六・四・三八九（労働関係民事裁判例集）
その他に、例えば次のような略語を用いた。
裁判所時報＝裁　時　　家庭裁判所月報＝家裁月報
判例時報＝判　時　　判例タイムズ＝判　タ

目次

第三者のためにする契約

中馬義直

6

手附

来栖三郎
太田知行

目次

第三者のためにする契約

中馬義直

はしがき

わが民法は、第三者のためにする契約に関しては、わずかに三箇条を定めたに過ぎず、しかもその示すところは簡単にして不明瞭であるが、学説の言うところも概して抽象的で、具体的諸問題の解決に対しては隔靴掻痒の憾みを免れない。本稿は、判例をとおして民法の条項の意義を探り、第三者のためにする契約の本質を明らかにすることを使命とするのであるが、私の菲才のため結局殆ど得るところなくして終つたと認めざるを得ない。取扱つた判例は大体昭和三九年六月頃までのものであるが、それらは総数において乏しいのみならず、大審院（最高裁）の判例が少ないために、下級審判例をも相当にまじえることとなつた。なお、場合により、個個の判例の分析に不相応の労力を費した感があるかもしれないが、それは、第三者のためにする契約とは如何なるものかを究明するためには先ず個々のケースを厳格に再吟味することが必要ではないかと愚考したためである。従つて、時として筆者の個人的見解を押出し過ぎる結果となつてしまつた感がないではない。また、当然のことながら、理論上興味ある問題といえども、将来ともに判例上問題とはなり得まいと思われるものについては、つとめて省略した。このようにして、本稿は、全体の記述において繁簡がととのわないのみならず、判例を分析総合してその動きを浮彫りにするというには程遠いものとなり、これを「総合判例」と称することはまさに羊頭狗肉のそしりを免れないようである。しかも、私の能力不足のため、思わざる誤りも少なくないであろう。御諒恕・御批正をお願いいたしたい。

この小稿を成すについては、多くの先達・僚友から直接間接のお教えを受け、殊に来栖教授の論著には示唆されるところが大きかつた。文献・資料の閲覧のためにも、多数の方々の御高配を頂いたが、特に鹿児島地方裁判所ならびに東大法学部研究室には一方ならぬ御面倒をおかけした。ここに心からなる感謝を捧げ、同時に、御厚情に報い得なかつたことを深くお詫びする次第である。

一　緒　説

一　甲が乙と契約し乙をして契約の当事者ではないところの丙に対する給付を約せしめる場合については、その給付を単に乙から丙への一方的給付に止まらしめる場合と、更に一歩を進め、丙をして直接に乙に対する給付請求権を取得せしめる場合との両者があるわけであるが、いわゆる「第三者のためにする契約」とは後者を意味し、これに対し前者を「不真正な・第三者のためにする契約」と称することは周知の通りである。そして、ここに述べんとするものが後者であることはいうまでもない。

元来、ローマ法では、契約は当事者以外の者に利益をも不利益をも与え得ないという原則があつたので、第三者のためにする契約は一般に否認され、わずかにその後期に及び、経済上の必要に迫られて、多少の例外を認めるに至つたに過ぎなかつた。これに対し、ゲルマン法では、第三者に固有の権利を与えるという意味における第三者への給付を目的とする契約を広く認めていたのであつて、ローマ法が継受された後も普通法上の慣習法としてローマ法上の原則を圧し、一八・九世紀におけるドイツの各ラント法は一般的ないし制限的にこの種の契約の効力を認めたといわれている。これらの沿革的な事情は、多少のニュアンスをもつて現在の西欧諸国の立法に受け継がれていると言える。

二　そこで、わが民法と親近関係のある仏・瑞・独の立法を一瞥しよう。

（一）　先ず、フランス民法は、その成立年代の古さをも反映して、ローマ法の原則に忠実であり、原則として第三者のためにする契約を認めず（一一一九・一一六五条）、ただその例外として、「人は……それが自己自身のためにする契約の条件であるか又は自己の他人になす贈与の条件であるときは、第三者の利益のために契約することができる」（一一二一条第一文）と定めるに止まり、しかも「第三者が受益の意思を表示したときは、契約当事者は撤回ができない」（一一二一条第二文）として、契約当事者を拘束している。もつとも、運用の実態においては、フランスの学説判例は一一二一条第一文の規定を根拠として、広範に第三者のためにする契約の成立を認めるとのことである（Colin et Capitant, Cours elementaire de droit civil français, t. 2, 1953, Nos 204 et suiv.）。

（二）　次にスイス債務法は、その成立年代の比較的新しいにも拘らず、第三者のためにする契約に関しては僅かに一箇条を設けて、かかる契約の成立の可能性を示し、且つ第三者の受益の意思表示のあつた後は要約者が諾約者の義務を免除し得ないことを宣言するに過ぎない（一一二条）。概して契約自由の原則によつて問題を処理することが実質的で優ると考えたものであろうか。

（三）　最後に、ドイツ民法の規定は前二者と趣を異にし、具体的でしかも融通性に富む。すなわち、ドイツ民法は「第三者に対する給付の約束」と題して特に八箇条より成る一節（三二八－三三五条）を設けているのであるが、まず第三者のためにする契約の成立の可能性を一般的に示し且つ斯る第三者の権利がその受益の意思表示をまたず契約当事者の意思により直接に生ずることを宣言する（三二八条一項）とともに、第三者が権利を取得するか、もしくはその権利が即時に又は条件付で成立するか、若しくは、契約当事者が第三者の同意なしにその権利を消滅せしめ又は変更する権利を留保すべきか否かについて特別の定めのない場合は事情により殊に契約の目的に従つて推定するという融通性ある解釈規定を掲げ（三二八条二項）、しかも若干の具体的場合についての解釈規定をも示し（三二九・三三〇条）、更に三二八条一項により当然に生じた第三者の権利は第三者がこれを拒絶した時にのみ遡及的に消滅するとしている（三三三条）。

三　わが民法の規定はいわば前記仏・独の法制の中間に位するものとみることができよう（日本学術振興会・法典調査会民法議事速記録二五巻三四丁富井発言参照）。すなわち、わが民法は第三者のためにする契約の成立を場合を限定せずに認めたが、如何なる場合がそれに該当するかについては何等の解釈規定をも置かなかつた（五三七条一項）。そして、第三者の権利はその第三者が債務者に対して受益の意思を表示したときに発生するものとされ（同条二項）、更に、第三者の権利が発生した後は契約当事者はこれを変更し又は消滅せしめることを得ないとされるが（五三八条）、これらは文理上強行法規的な形を呈している。

思うに、第三者の権利取得の有無は、論理的には契約当事者の意思に基づくはずであるが、問題は当事者の意思の不明瞭な場合に関する。この場合の右の点の判別は本来極めて微妙で困難であるのに、わが民法が前述のようになんら判断の基準を示すことなく、しかも一方において、当事者が約定の内容を自由に取り決めることに対し拘束を加えるかのごとき感のある規定を置いていることは、困難を倍加する所以である。そこで、如何なる場合に第三者の権利取得を認め、如何なる場合にこれを否むべきかの論理を構成するにあたり、わが民法の規定をどのように解釈するかが重要な関係をもつことは自明であろう。ところが、実際生活において第三者のためにする契約の活躍する場面が比較的少ないためか、右の点が判例上問題になることは少なかつた（このことは、われわれ日本人の生活意識の底に巣くつているところの、自分と直接の関係に立たない人ないし社会一般に対しては連帯感が余りにも稀薄化するというあの好ましからぬ傾向と関連しているようにも思われるが、これを詳かにすることができない）。即ち、判例が第三者のためにする契約に関して明らかにした点は相当にあつたが、それらは殆ど右の問題点とは関係のないものばかりであり、しかも判例は散発的で相互の間に密接な連関を見出し難く、判例はいわば停滞していたと言える。学説も、時として精密且つ体系的なものがないではなかつたが、それらは概して抽象的なもので、具体的な問題を踏まえた体系的研究には乏しかつた。尤も、事柄によつては時として民法の右の点の解釈問題が正面からとりあげられ、判例上また学説上はげしい論争をまき起したものもないではないが、そこではわが民法の規定をいわばその文字通りに固定的に解釈せんとする考え方と、これを所要に応じ柔軟性をもつて解しようとする考え方とが分裂対立し、斯る理解の相違が、実際的問題の解決態度を分派せしめる重要な一因をなしていると言える。そして、右のような論争の的たる・制度化された契約については、第三者の権利取得の有無の判定にあたり取引実務上の慣行を無視できないのだが、遺憾ながら実務が契約の法的性格を明瞭にしている場合はあまりないようである。以上要するに、如何なる場合に第三者は権利を取得するとすべく、また如何なる場合にこれを取得しないとすべきか、その判別の基準については、判例は殆ど示すところがないし、他方、学説も若干の例外を除いては具体的にかかる基準の探求を試みるものは見出されないようである。結局、第三者のためにする契約とは果して何なのかは、その要点においていまだに不明であるといわざるを得ないであろう。

四　ついでながら、ここで英米法について付言しよう。英国においては契約の相互関係 Privity of Contract の原則が貫かれ、現在に至るまで第三者のためにする契約の理論は認められず、ただ信託法理の適用や若干の特別立法によつて弥縫的に第三者の利益を守る試みがなされているに過ぎないといわれるが、Law Revision Committee の Sixth Interim Report, 1937 では、第三者のためにする契約を認むべきだとの勧告がなされている。米国においては、英国におけるとはやや異なつた発展を示し、大部分の州では第三者のためにする契約を認めるといわれ、American Law Institute の Restatement of the Law of Contracts はその一三三条以下において第三者のためにする契約について詳説している（もつとも、米国における考え方では、この種の契約の成立が欧大陸法系にいわゆる対価関係 Valutaverhältnis の成立にかからしめられている点は注意を要する）。このリステイトメントの内容は具体的で、法系を異にするわが民法の解釈についても参考となるものを含むようである（因みに、第三者のためにする契約の概念ないし法制について社会経済史的視点をも踏まえてひろく諸法系にわたる比較考察を試みるものに沢木「第三者のためにする契約の法系別比較研究」比較法研究一三号四三頁以下がある）。

二　第三者のためにする契約の意義

一　総　説

第三者のためにする契約の意義については格別の問題はなく、判例・学説ともに殆ど一致しているといえる。

（一）　該契約は、要約者・諾約者それぞれ自己の名においてするもので、要約者が第三者の代理人となるのではないことについては、大審院の判例がある（大判大七・一・二八民録二四・五五――民法施行前戸主は家族を代理する権限があったから、戸主が家族の一員の利益のためにする契約は、代理であって、第三者のためにする契約ではないという(但し、判決は「家族ヲ代表シ」と言っている)）。

（二）　第三者は諾約者に対する権利を取得する。単に利益を受けるに止まらない。これといわゆる不真正な・第三者のためにする契約との区別については、かつて債務の引受ないし履行の引受（四八頁以下参照）をめぐって論議されたが、今日においては判例・学説ともに安定したといってよい。

（三）　第三者のためにする契約と代理との差異について付言しておこう。代理においては、代理人は契約の相手方に対しなんら権利義務を取得することなく、本人が契約による一切の効果を取得する。これに対し、第三者のためにする契約では、契約の当事者が権利義務を取得し、ただそのうちの或る特定の権利だけが第三者に帰属する、というのがその典型的なものである。また、代理においては、本人は契約のときに現存特定していなければならない（いわゆる「権利能力のない社団」については、その活動は代表機関を通じて社団の名においてなされるべきであり、代表機関の行為により直接社団財産に変動を生じ、また代表機関の職務上の不法行為に基いて社団財産が賠償責任を負うとする見解(但し、右とならんで代表者自身も責任を負うとするものと然らざるものとがある)が近時有力である）のに対し、第三者のためにする契約における第三者は、契約のときには現存特定していることを要せず、将来受益の意思表示をなすときに現存特定し得るものであればよい。以上の二つが代理と第三者のためにする契約との顕著な相違点である（我妻「民法案内11」法学セミナー四七号一三―四頁。なお、田島等・註釈日本民法（契約総則）三〇七頁、末川・契約法（上）一一〇―一頁、本稿一五頁、七一頁参照）。

二　第三者の取得する権利

第三者の取得する権利は普通は債権だが、これに限られるわけではない。それは次のように種々の態容にわたり得る。

（一）　第三者をして物権を取得させる契約も可能である。この点については古くは反対説があったが（石坂・日本民法三一九四頁、岡松・法協二六巻二号九〇頁、鳩山・日本債権法各論(上)一六六頁。これらは、契約の効力が第三者に対して生ずるのは例外であるから、明文の定めのない限り認めえないとか、物権の設定移転には、民法一七六条により当事者の意思表示を必要とするから、民法五三七条を物権契約に類推することはできない、とか主張していた）、近時は肯定するのが通説となっており（末弘・債権各論一九一頁、同・判民昭和五年度八九事件、我妻・債権各論(上)一二〇頁、柚木・債権各論二一二頁、末川・前掲書一一五―六頁、田島等・前掲書三一七頁。これらは、物権行為の独自性を認めると否とにより論調を異にするが、第三者に物権を取得せしめることもできると認める点は同じである）、判例も早くからこのことを認めていた（【1】【2】。事案はいずれも近親者間の贈与に関するが、後者は特に若干の反対給付を伴うものである。因みに【2】が債権契約・物権契約の区別を前提に立論しているのは、判例の伝統に対して異質的である）。

【1】　民法施行前においてYがY・X両人の父との間で第三者たるXのために締結した不動産贈与契約の効力を認めるもの。

「契約ニ依リ当事者ノ一方カ第三者ニ対シテ或給付ヲ為スヘキコトヲ約シタルトキハ其第三者ハ債務者ニ対シテ直接ニ其給付ヲ請求スル権利ヲ有シ此場合ニ於ケル第三者ノ権利ハ其第三者カ債務者ニ対シテ契約ノ利益ヲ享受スル意思ヲ表示シタル時ニ発生スルコトハ民法第五百三十七条ニ規定セルノミナラス物権ノ移転ハ当事者ノ意思表示ノミニ因リ其効力ヲ生スルコトハ同第百七十六条ニ規定スル所ニシテ此法理ハ民法施行前ニ於テモ認メラレタル所ナレハ若シ其契約ニシテ債務者カ己レニ属スル特定物ニ関スル物権ヲ第三者ニ移転スヘキコトヲ約シタルモノナリシトキハ物権ハ其第三者カ債務者ニ対シテ契約ノ利益ヲ享受スル意思ヲ表示シタル時ニ移転スルモノニテ物権移転ノ為メニハ第三者ト債務者トノ間ニ於テ更ニ契約ヲ締結スルヲ要セサルヤ多言ヲ俟タス而シテ原院ノ確定スル所ニ依レハYハ明治二十九年十月中父Aニ対シ本訴ノ地所建物ヲXニ贈与スルノ契約ヲ為シXハ明治三十九年一月中Yニ対シテ右契約ノ利益ヲ享受スル意思ヲ表示シタルモノナレハ契約ノ目的物中特定ノ物ニ関シテハXカ利益享受ノ意思ヲ表示シタルトキニ於テXニ所有権ノ移転

シタルモノト謂フヘキハ当然ナリ」（大判明四一・九・二二民録一四・九〇七）。

【2】　Xは訴外Aの嫡孫にあたる者だが、戸籍上私生子として届けられていたためAの養子（法定推定家督相続人）となつたが、その後数年にしてAはその長女（Xにとつては伯母または叔母）たるY_1に所有不動産の殆ど総てを贈与し売買名義の移転登記をしてしまつたので、かかる所行はXの相続権を害するものだとして親族等の非難するところとなつた。かくて、親族等（Aを含む）はY_1と協議し、AがY_1に金銭上の補償（一七五円の支払）をなすことを条件に本件不動産をY_1からXに譲与する旨の契約を締結した（なおY_1の夫Bはこれに許可を与えた）。ところが、XがY_1に対し受益の意思を表示し（Xは、これによつて不動産の所有権を取得したと主張する）所有権移転登記を求めたに拘らず、Y_1は本件不動産につきC（Y_2の先代）と通謀しCに対して虚偽の売買名義の所有権移転登記をしてしまつた。そこで、XはY_2に対して右登記の抹消手続を求め、Y_1に対しては金一七五円と引換に所有権移転登記を求める旨の訴訟を起したところ、Y_1等は「本件契約は債権契約だから、Xの受益の意思表示後一〇年を経た今日、Xの所有権移転登記請求権は時効消滅した。もし、本件契約が直ちにXに所有権を取得させる趣旨（物権契約）なら、それは民法五三七条、一七六条に該当せず、無効である」などの理由で、Xの請求を拒んだ。大審院は次のように論じてXを勝訴させた。

「民法第五百三十七条ハ……………契約ニ依リ当事者ノ一方カ第三者ヲシテ直接ニ物権ヲ取得セシムルコトヲ得ル旨ヲ規定セサルモ債権契約ニ関スル規定ハ反対ノ事情ナキ限リ物権契約ニモ亦之ヲ準用シ得ルヲ原則トシ且右ノ場合ニ於テハ何等其ノ準用ヲ妨クヘキ事情ヲ認メ得サルヲ以テ前記法条ハ物権契約ニ付キテモ亦第三者ノ為メニスル契約ノ効力ヲ是認スルノ趣旨ナリト解ス可キモノトス」なお「我民法ニ於テハ第三者ノ権利ハ其ノ第三者カ債務者ニ対シテ契約ノ利益ヲ享受スル意思ヲ表示シタル時ニ発生スル旨ヲ規定スルカ故ニ物権契約ニ付第三者ノ為ニスル契約ノ効力ヲ認ムルモ物権ノ変動カ当事者ノ意思ニ基カスシテ生スル」こ

とはならないから、この効力を認めても民法一七六条の趣旨には反しない（大判昭五・一〇・二民集九・九三〇判民八九事件末弘評釈）（因みに、右判決の原審たる長崎控判昭三・四・一四新聞三一一三・九も同様の理を認めている）。

(1)　ところで、右の【1】【2】のように贈与に関する場合については、若干検討を要する点があるように思うので、左にこれを述べよう。

（イ）【1】における贈与は、要約者・諸約者間に些少の反対給付をも伴わない文字通りの贈与だが、このような贈与についても判例は問題なく受益者たる第三者の権利取得を認めるようである（後掲【27】をも参照）。要約者・諸約者間で意図した第三者の受益を確実ならしめるためには、判旨のように解することが合目的的であるかのようにもみえる。併し、何等の反対給付なき贈与の契約は一般的にはその証拠も不確実なことが多いであろうから、第三者に権利を与えては紛糾をしげくするおそれがあり、また要約者の出捐なくして諸約者に第三者に対する義務をまで負わしめるのは一般的には無理も感ぜられるので、私はこのような——文字通り無償の——贈与の場合は諸約者は原則として要約者に対してだけ第三者に贈与すべき義務を負うとするのが適当ではないかと思う。尤も、第三者のためにする贈与は、血縁者ないし親しい者の間で愛情や恩誼に基いて行なわれることが多いので、この点に実質的意義を認めて——当事者間において反対給付は存しなくとも——第三者の権利取得を認むべきようにも思われるが、この理由づけによっては、第三者が権利を取得すべき場合と然らざる場合との限界を画することができないので、かかる理由づけは採用することを得ないであろう（英国において、かつて近親関係の理論が唱えられたが、それが後に否定されたことについては、田中(和)・英米契約法二七七―八頁、谷口(知)「第三者のためにする契約の認否」ジュリスト英米判例百選一六六頁、小林「英法に於ける第三者のためにする契約に就て(一)」法学新報六二巻一二号五五頁以下。もっとも、米国の或る州では、第三者が要約者の近親血縁である場合には第三者が訴権を取得するという判決がなされたこともある、といわれる――谷口・前掲百選一六七頁)。

右のように、要約者の出捐については厳格に考えるのが妥当であると信ずるが、それにしても、右の出捐を絶対的の要件とまで解する必要はないであろう(要約者・諾約者間のいわゆる「補償関係」は無償であっても差支はない理である)。従って、(a)前述に対する例外として、明治民法の相続制度のもとで家督相続による全財産の単独相続の結果を事後的に緩和する方便として第三者への贈与の形式がとられたような特別の場合のみについては、無条件に(要約者の出捐なしに)受贈者たる第三者の物権取得を認めてよかったかもしれない(この種の贈与は、受贈者が永年家で働いた労に報いるための対価としての実質を含むことも多かったであろうが、そのような場合は、なおさら上記のように解し得たであろう)。そして、【1】の事案は或はまさにこの場合に該当するものなのかもしれない(明治民法の家督相続制度における一子全産相続主義は決してわが国古来の固有法を伝えるものではなく、時代思潮の進展にも背くものであったし、臨時法制審議会が昭和二年に決議した「民法相続編中改正ノ要綱」も右の単独相続主義を緩和すべきことをうたっている)。因みに、このような特殊の贈与については民法五五〇条は適用ないとしてよいのではあるまいか(新憲法施行後新民法施行前になした協議上の離婚に際し財産分与契約を結んだ場合につき、それが書面によらなくても、取消はできないと判示する札幌高判昭二五・五・三一民集三・二・六九より類推(但し、来栖―安達・法協七一巻三号三二〇頁判批は、右の判旨の正当性を一応みとめつつ、当該の契約は性質上有償契約だと指摘しており、上告審たる最判昭二七・五・六民集六・五・五〇六も有償契約として事を論じていることに注意を要する)。なお、島津「親子間の契約」契約法大系I一三七―八頁をも参照)。もっとも、【1】の判決は、他の部分において、第三者のためにする契約については民法五五〇条本文のような規定がないから――たまたまそれが贈与契約であっても――その契約が書面に作成されなかったという理由でこれを取消すということはできないのだと説いているようだが、かかる理由づけは正当ではあるまい(けだし、形式論に過ぎ、とるに足らないから。しかも、かかる形式論を離れて実質的にみても、当事者以外の第三者が受益者として法律関係にはいりこんできたからといって、そのことだけから贈与契約の撤回を禁止する効力が生ずるとは考えられないから)。(b)なお、例外の第二として、甲が乙に対し贈与をなすべきことを約するとともに、特に贈与の目的物たる物権を、本来の受贈者たる乙にではなく、第三者たる丙に移転すべきことを了承した場合の如きは、たとい要約者たる乙の出捐が存せずとも、受益者たる丙は甲に対する受益の意思表示により直ちに当該の物権を取得すると解してよいであろう（ただ、事実関係の立証の面で難点があるかもしれないが）。尤も、この場合については、丙の受益の意思表示後においても、特に一般原則（民五〇）により贈与が取消されることがあり得ると解すべきであろうか。

（ロ）つぎに、要約者甲が諾約者乙に若干の反対給付をなし乙をして第三者丙に特定物を贈与すべき旨を約せしめる場合、丙は受益の意思表示により直ちに目的たる物権を取得するとしてよいであろう。そして、【2】のように甲が反対給付をなすことを条件として契約した場合も、右に準じて考えてよいであろう（因みに、リステイトメント一三八条は、Aが息子Bに金を与え、Bはそれを対価としてAの娘Cに甲地を譲渡することを約したときは、AもCもBの譲渡の約束について特定強行の判決を請求することができる、といつている）。

なお、【1】【2】においては、第三者のためにする契約に基く所有権の移転の時期や第三者の登記請求権ないし不動産引渡請求権の存続期間について別異の見解もあるだろうが、これらは物権変動の理論、時効ないし除斥期間の理論、および要約者の権利と第三者の権利との相互関係の如何にかかわる難問であり、私の解明しうるところではない。

(2)　ところで、【2】のような・反対給付を伴う贈与は売買に接近する場合があり得ると想像されるが、判例は第三者に売却すべき旨の契約（これは、要約者が諾約者から物を買い、その所有権を直ちに第三者に帰属せしむべきことを相互に特約する、という場合とは異なる）をも第三者のためにする契約だとして、第三者の物権取得を認めている（後掲【18】【19】【25】参照。因みに、前掲【2】の場合も結果的には受益者たる第三者が出捐することになつたので、第三者・諾約者間の売買契約のような形となつた)。しかし、このような場合に判例が第三者のためにする契約としてとらえる契約とは果して具体的には如何なる態容のものなのであろうか。

甲が丙から頼まれもせず、また丙の法定代理人でもないのに、丙のために好意的に他人(乙)との売買契約の世話をしてやる場合には(甲と丙とが血縁者、親友である場合などに考えられる)、甲が乙に対し丙に何々を売つてくれと頼み、乙がこれを承諾するという形をとるのが普通であろう(売買の条件も乙・丙間で最終的に確定されるので、甲・乙間には法的な権利義務関係は生じないと考えてよい)。せいぜい考えられるところとして、甲・乙間で乙・丙間の売買契約の内容を決定し、(Ⅰ)乙は甲に対する関係でだけ丙に売却すべき義務を負うか、更に一歩を進めて、(Ⅱ)乙が丙の買受申出に対し承諾義務を負うべきことを甲に約するか、(Ⅲ)丙の買受申込があれば直ちに乙・丙間に売買契約が成立すべきものとすることを乙が甲に約するというようなものであろう(来栖「第三者のためにする契約」民商法二五周年特集号(下)五二〇頁参照)。そして、(Ⅱ)や(Ⅲ)は一種の・第三者のためにする契約と考えてもよいだろうが、これらの法律効果を生ずるためには、甲・乙間に特に相当の強い意思表示の存在することが必要だろうし、殊に(Ⅲ)の如きは――その法律効果の実質においては(Ⅱ)の契約と殆ど異ならないとはいうものの、契約当事者の実際的な意識の面から察すると――滅多にあり得ないであろう。

ところが、判例が第三者に売却すべき契約を第三者のためにする契約としてとらえる場合は、第三者の受益の意思表示で直ちに所有権が第三者に移ると考えているようだから、それは右の(Ⅲ)の型の契約であるとするほかないであろう。そのような契約は滅多にないだろうが、もし当事者が特にそのような趣旨で契約したのなら、これを無効とするには及ばないであろう。けだし、この場合、第三者が契約による受益を欲し、対価（代金）の支払をなすべきことを認めるという以上は、第三者にも諾約者にも不利益はないのだから、第三者のためにする契約と認めても実質上支障はないからである（第三者の権利は反対給付を伴うことを妨げない。後掲【19】【20】はこのことを明言する）。ただ、卑見によれば、この種の場合、第三者の物権取得のためには、厳密には、要約者・諾約者間の契約のほかに更に第三者・諾約者間の契約が必要なのだから、これは――現今における契約観からすれば――本来の第三者のためにする契約ではなく、その拡張（第三者のためにする契約と本人間の契約との結合）ではないかと考えられる（無権代理の追認に似ているが、そうではあるまい）。

(3)　なお、第三者をして登記請求権を取得せしめる契約も、第三者のためにする契約の一種たり得るとの下級審判例がある（宇都宮区判昭一六・一〇・九新聞四七五三・一九――不動産の所有権が甲・乙・丙と順次に移転した場合に、甲・乙間の契約で丙に中間省略登記の請求権を与えることを認める。但し、判旨が続けて述べている・登記請求権は現在真実に物権を有する者が登記名義を有する者に対して直接に当然に有する権利であり、必ずしも中間省略登記の特約の存在することを要しないとの傍論は失当であろう）。

(二)　諾約者が第三者に対して有する債権について債務の免除をする契約も第三者のためにする契約に準ずるものとして有効と認めらるべきであろう（この場合、第三者に対する免除の効果の発生するためにその受益の意思表示を要するか否かについては説がわかれている。判例は、後掲【3】【23】等のごとく、第三者の受益の意思表示を要するとし、戒能・債権各論八一頁、柚木・二一二―三頁も同説である。これに対し、板木・民商一五巻四号四〇九頁は民五一九を根拠にこれを不要とし、田島等・三一九―二〇頁は、民五一九により受益の意思表示なしに免除の効果を発生せしめ得るという。なお、末弘・前掲書一九三頁は、この種の契約は有効だが、それは第三者に権利を取得させるものでないから、第三者のためにする契約ではなく、また契約の効力発生のためには受益の意思表示も必要でないはずであり、そのことは「免除」の性質上当然だ、という）。例えば、要約者が諾約者に対してもっている債権を放棄する代りに諾約者が第三者に対してもっている債権を放棄させるような場合は、第三者はかかる契約の直接の効果として諾約者に対する弁済を拒み得るであろう。大審院は、諾約者の第三者に対して有する債権の一部を要約者が第三者に代つて弁済しおよび債務引受をするかわりに諾約者は第三者に対する右債権の爾余の部分を免除する旨の契約は第三者のためにする契約だといつている(後掲【23】)。

また、要約者・諾約者間の契約で、要約者が諾約者に対して有する債権と諾約者が第三者に対して有する債権とを将来一定の条件の到来とともに相殺すべき旨を約する・いわゆる相殺権発生契約は第三者のためにする契約として有効だとする下級審判決(宇都宮地栃木支判大一一・二・一七評論一一民法八二)も正当であろうし(尤も、法律による相殺の制限のあるような場合、その制限の趣旨によつては特に相殺契約が許されないこともあり得るであろう)、更に、労災被害者の遺族と労働基準局長との間の、遺族は労災保険金の支給を受けた限度において加害者に対する損害賠償請求権を放棄する旨の契約も、第三者のためにする契約の性質を有するとしてよいであろう(東京高判昭二六・四・一四判タ一四・六五)。

ところで、債権者が連帯債務者全員のために債務の一部免除をする旨他人に対し約するのは、第三者のためにする契約に準ずべきもので有効だ、とする判例があるが(大判昭一八・六・二法学一三・二六五)、どうであろうか。このような場合、第三者(免除の利益を受ける者)の権利(債務の消滅を主張して弁済を拒むことを得る権利)の取得を要約者(免除してやつてくれと頼む者)の出捐の有無と無関係に認めてよいであろうか(本件においては出捐の有無は不明である)。思うに本件のような契約の場合、要約者のみが諾約者の約旨の履行を督し得るものとしてもその実効は恐らく十分でないので、第三者に弁済の拒否権を与える方が効果的なことは明らかであるし、更に、債務免除は――贈与の如く積極的な給付を求めしめるものではなく――単に受益者たる第三者をして弁済を拒み得しめるに過ぎない、というふうに考えると、右の出捐の有無に拘らず第三者の権利取得を認めてよさそうにもみえる。しかし、第三者に権利を与えずとも、要約者は少なくとも諾約者の違反による結果を恢復せしめる権利はあるのだし、他方、右のように債務免除と贈与とを別異に取扱うことは実質的でないというべきだから、やはり第三者の権利取得は原則として要約者の出捐の伴う場合にのみ認めるのが穏当ではあるまいか（もっとも、出捐はなくとも、契約当事者間に——第三者に権利を与える趣旨の——特段の意思表示のあった場合は、もちろんこれを認めてよいであろう）。因みに、判例は、全然諾約者の好意で免除を約束させるのでなく、第三者が一部支払をなすことを条件に諾約者をして残部免除の約束をさせる場合を第三者のためにする契約だとするが（次掲【3】）、このようなものは、一種の・第三者のためにする契約として肯定してよいであろう。けだし、要約者自らは出捐しないが、受益者たる第三者が諾約者に一定金額の支払をすることが条件とされているので、免除による第三者の履行拒否権を認めても諾約者にとって不都合はないと解すべきだからである（但し、来栖教授はこの場合についてもやはり第三者の権利取得を否定されるようである。来栖・前掲民商五二九—三〇頁、同・民法例題解説Ⅱ一二四頁参照）。なお、既述のごとく、第三者のためにする免除契約において第三者の受益の意思表示を要するか否かについては争があるが（一五頁参照）、とくに本件（【3】）の場合は、その具体的事情よりみて、第三者は受益の意思表示を要せずに条件付権利を取得すると解するのが妥当であろう。従って、判旨が、諾約者の第三者に対する免除の意思表示を不要としているのも、もとより正当であろう（因みに、後掲、鳩山・民法研究は本件判旨に賛成。但し、免除契約の効力発生要件については、民五三七Ⅱによるべきではなく、第三者の弁済に関する民四七四条の規定を類推適用すべきであるとし、第三者の受益の意思表示を要せず当然に且つ直ちに免除の効力を生ずる、とされている）。

【3】 XはYに対して小作米債権を有していたが、Aとの契約でYが約旨に従って一定金額の支払をなせ

ばYに対する右債権を免除することを約したので、その約束に基きYは右の支払を為して受益の意思を表示したが、Xは Yに対して免除の意思を表示しないからとて免除の効果を否定し小作米債務の履行を求めたという事件であるが、大審院は次のように第三者のためにする契約によつて債務免除の効果が生じているとした。

「民法第五百三十七条ハ其明文上、当事者ノ一方ニ於テ第三者ニ給付ヲ約シタル場合ノミニ付キ規定セルカ如シト雖、法律カ第三者ノ利益ノ為メニスル契約ノ第三者ニ対スル効力ヲ特ニ此場合ニノミ限定シタルモノト解スヘキ理由ナキカ故ニ当事者間ノ契約ニ於テ其一方カ第三者ニ対シテ有スル債権ヲ免除スルコトヲ約シタル場合ト雖亦其契約ハ有効ニシテ、此場合ニ於テハ第三者ノ受益ノ意思表示アリタルトキヨリ免除ノ効力ヲ生スルモノト解スヘキモノトス蓋シ法律カ第三者ノ利益ノ為メニスル契約ニ効力ヲ認メタル所以ノモノハ社会各般ノ取引上之ヲ必要トスルニ出テタルモノト為スヘキカ故ニ第三者ノ利益ノ為メニスル契約ノ内容カ其給付タルト免除タルトニ於テ毫モ解釈ヲ異ニスヘキ理由ナケレハナリ故ニ本件ニ於テ……XトA間ノ契約ニ於テXカ第三者タルYヨリ約旨ノ金額ノ支払ヲ受クルニ於テハ自己ニ対スルYノ小作米ニ関スル債務ヲ免除スルコトヲAニ約シタル場合ニ於テYカXニ対シ約旨ノ金円ヲ支払ヒ受益ノ意思ヲ表示シタルトキハYノ債務ハ約旨ニ従ヒ当然免除セラレタルノ効果ヲ生スルモノニシテ此ノ場合ニ於テハ民法第五百十九条ノ規定ニ従ヒ更ニ小作米ノ債権者タルXヨリ其債務者タルYニ対シテ債務免除ノ意思表示ヲ為スノ必要ナキモノトス何トナレハ同条ノ規定ハ単独行為ニ因ル債務免除ノ場合ニ付テノ規定タルニ止マリ本件ノ如キ契約ニ依ル債務免除ノ場合ニ其適用ヲ有スルモノニ非サルカ故ナリ」（大判大五・六・二六民録二二・一二六八、鳩山・民法研究四巻二二五頁）。

三　第三者のためにする契約の成立要件

一　補償関係と対価関係

要約者と諸約者の間に有効な契約が成立しなければならないことはいうまでもないが、これに伴う補償関係の成否が契約の効力に影響あることを注意すべきである（もつとも、既述（一二頁）のように、補償関係は無償でもよい）。しかし、要約者・第三者間のいわゆる対価関係は契約の成立と無関係である（対価関係の欠缺は不当利得返還請求権を生ぜしめるのみ。但し、四宮・判民昭和一六年度七八事件は反対?。なお、すでに一言したように、リステイトメント（一三三条以下）によれば、米国では第三者のためにする契約はその成立を対価関係の成立にかからしめられているようである）。

二　第三者への権利付与を目的とすること

第三者に直接に権利を取得させる趣旨が契約の内容とされなければならない（民五三七Ⅰ）。

（一）　第三者に単に事実上の利益を与えるだけでなく、直接に権利を取得させる趣旨であるかどうかは、契約の種類によつては、法律自体から直接にその趣旨をうかがい得る。例えば、他人のためにする保険契約（商六四八・六七五、簡保一〇など）・第三者を受取人とする郵便年金契約（郵便年金七）・第三者を受益者とする信託（信託七。もつとも、生前の他益信託設定行為は第三者のためにする契約でないとする説もあるが、そう解する必要はない（四宮「信託契約」契約法大系Ⅴ八三―四頁））・郵便為替契約（郵便為替一二）など。

しかし、法律の規定自体から明らかに推し得ない場合については、右の点の判別は必ずしも容易でない。けだし、契約の趣旨が第三者に直接請求権を取得させるにあるか否かは、基本的には各場合における当事者の意思の解釈の問題なのだが（大判昭二・四・一六新聞二七四〇・一二）、当事者の意思はこのような微妙な点については概して明瞭でないし、また行為の性質ないし慣行から推定しようとしても、これも確実とはいえないからである。尤も、特に大量取引に伴つて制度化した契約については、これをその慣行に照らし又はその制度の客観的目的にかんがみて判断することが一般に効果的なようにも考えられるが、慣行自体曖昧であるし、しかも制度化したものは、制度運営者の恣意によつて却つてその本質がまげられ或は故意にその法的性格がぼかされる傾きがないとはいえないから、この方法も必ずしも十全とはなし得ない。そのほか、判断の標識としては、要約者の出捐の有無の点も考えられ、第三者への給付が要約者の出捐に基き諾約者により約束された場合は、第三者は権利を取得すると推定してよいと思うが（来栖・前掲民商法特集号(下)五一九頁）、しかし、これも強い推定を成立せしめ得るに止まり、当事者の第三者に権利を与えない旨の意思が明認されるときは、くつがえらざるをえないであろう。以上要するに、第三者に与える利益が果して権利なのか否かの判別は、第三者のためにする契約をめぐる最も困難な問題であるといつてよい。以下、主要な若干の場合について右の問題を検討するが、これらの中には、必ずしもわが民法の一見狭隘ともみられる「第三者のためにする契約」概念にはまり切らないものもあると思うので、そのようなもの（これらは概して制度化している）についてはそれぞれの実体に応じて無名契約としての独自の法律構成を試みる方がよいかもしれない。しかし、わが判例上そのような意図のうかがわれるものはまだないようで、訴訟当事者も裁判所も第三者のためにする契約の概念の枠内での論争に終始しているようである。

(1)　運送契約は第三者のためにする契約であるか。学説上争のあるところである（ドイツにおいては肯定説が有力なようだが否定説もある——Ratz, Kommentar zum HGB, BdV, §425 Anm. 15 und § 435 Einl.・小町谷・判民大正一三年度五一事件、ミッタイス・世良—広中訳・ドイツ私法概説二六九頁。なお、フランスの学説は肯定する——現代外国法典叢書・仏蘭西商法〔I〕三一八頁、Précis de Droit Civil (Dalloz), t. 2,

1957, n° 534)。

わが商法五八三条（国際海運二〇Ⅱ、航運約一三）の定めるところによれば、運送品が到達地に達した後は、荷受人は荷送人の権利を取得するが、これは同時に運送賃等の支払義務を伴うとされている。この権利義務取得の根拠としては、第三者のためにする契約に基づくとするもの（松本・松波・竹田・大隅・大森・田中（誠）など）の外、次の如くこれを否定する見解もある。

（Ⅰ）　法律の規定によつて発生するとなす説（岡野・商行為法及保険法二六一頁、小町谷・商行為法論三六三頁、同・運送法の理論と実際三〇四頁、大浜・商行為法要論三六七頁など）。

（Ⅱ）　空間障害の超克を目的とする運送契約の特性に基づき法の特に認めた権利義務なりとする説（石井・改訂商法Ⅱ七八―九頁、西原・商法総則商行為法一六三頁、鈴木・商行為法海商法保険法四五頁。但し、相互に多少のニュアンスがある）。

運送品到達後荷受人が当然に、しかも権利とともに義務をも取得するという点や、荷送人には運送品の処分権があるという点は、わが民法が第三者のためにする契約に関し定めるところとは相当異なつているが、民法の規定をゆるやかに解すれば、これを一種の「第三者のためにする契約」とみることも不可能ではないであろう。しかし、それにしても、第三者が権利とともに義務をまでその意思にかかわりなく取得するものと認めることは、「第三者のためにする契約」概念を以てしてはいささか無理の感がなくはない。従つて、（Ⅱ）のように解するのが無難なのではあるまいか（因みに、現今においては、殆どすべての運送契約において、約款がそれぞれの契約の内容を具体的に決するので、右のような概括的な概念づけの当否の論争に深入りすることは、実益に乏しいであろう）。

判例として右の問題に言及するものは殆ど見受けられないが、東京地判大一一・一一・二一新聞二一一三・一五は運送契約は第三者のためにする契約だとしている（事案は、海上運送における運送品の破損につき荷受人から運送人に損害賠償を請求したものであるが、判決は、海上運送については荷受人が荷送人の権利を取得する旨の規定はないが、陸上運送と同様に第三者のためにする契約の性質を有するとなしつつ、免責特約があったという理由で荷受人の請求を棄却している。因みに、本件の上告審大判大一三・五・三〇民集三・二五三の判旨は直接「第三者のためにする契約」を云為してはいないが、その評釈・前掲小町谷判民五一事件は、運送契約は——その陸上たると海上たるとを問わず——第三者のためにする契約ではない、と言われる）。なお、運送取扱営業に関するものとして、発駅運送店と着駅運送店との間でなした貨物引換証付貨物の着駅事務取扱委任の契約は第三者のためにする契約の性質を有するとする下級審判例（【4】）も見受けられるが、これと異なる見解に立つ判例・学説も少なくない（判例の中には、このような場合は着駅運送店が運送契約に加入すると解すべきだからという論拠や、着駅運送店は荷送人や貨物引換証所持人に対し発駅運送店等と同一の責に任ずべき慣習があるという理由づけや、ないしはこれらに準ずる立論によって、【4】の所説と同様の結果を認めるものがあるし、また、むしろ反対に、着駅運送店は発駅運送店等の履行補助者に過ぎないから、着駅運送店は原則として荷送人や貨物引換証所持人に対し直接契約上の義務を負うものでない、と主張する判例や、右の理により契約上の義務は負わないが、もし着駅運送店が貨物引換証を所持しない者に不当に貨物を引渡せば、該証所持人に対する所有権の侵害となる、とする学説・判例もある（【4】も別に所有権の侵害を言う）。これらの詳細については、小町谷・前掲理論と実際七一頁以下を参照　）。

【4】　着駅取扱店が貨物引換証と引換でなしに荷受人に運送品を引渡したので、貨物引換証の所持人たる荷送人より履行不能による損害賠償を請求。

「一般ニ発駅運送店ト着駅運送店トノ間ニ貨物引換証付貨物ノ着駅事務取扱委任ノ契約成立シタル場合ニ於テ着駅運送店ハ其ノ契約相手方タル発駅運送店ニ対シ到着セル貨物ヲ保管シ之ヲ貨物引換証ト引換ニ貨物引換証所持人ニ引渡スヘキ債務ヲ負担スルコト論ヲ俟タスト雖其他斯ノ如キ契約ハ尚着駅取扱店ヲシテ直接荷送人及貨物引換証所持人ニ対シテモ発駅運送店ニ対スルト同様ナル債務関係ニ立タシムヘキ一種ノ第三者ノ為ニスル契約タルノ性質ヲ有シ而モ荷送人並貨物引換証所持人ハ何等受益ノ意思表示ヲ為スコトヲ要セスシテ該契約ニ因リ当然直接着駅取扱店ニ対シ前示発駅運送店ト同様ナル債権ヲ取得スルニ至ルモノト解釈スヘキコト斯ノ如キ契約一般ノ場合ノ約旨ヲ探求シ妥当ナリト認ム蓋シ発駅運送店カ貨物引換証ヲ発行シタル

トキハ到達地運送店ハ貨物引換証所持人ニ対シテノミ運送品ヲ引渡スヘキ権利義務ヲ有スヘク而シテ此義務ハ委託者タル発駅運送店ニ対シテノミ之ヲ負担スルモノニシテ右契約当事者以外ノモノニ及ハサルモノトセンカ貨物引換証所持人ハ貨物引換証ニ因リ貨物ノ引渡ヲ請求スルモ着駅運送店之ニ応セサルトキハ単リ発駅運送店ニ対シ其引渡ヲ請求シ其他之ニ基ク損害ヲ要求セサル可カラサルニ至ルヘク斯ル迂遠ノ解釈ヲ採ルヨリハ寧ロ直截簡明ニ右当事者間ニハ貨物引換証所持人ノ為メニスル契約アリテ所持人ハ之ニ依リテ着駅運送店ニ対シ貨物ノ引渡ヲ請求シ得ヘキ権利ヲ取得スルモノト解スルヲ以テ能ク当事者ノ委託ヲ為シタル真意ニ適シ亦右運送取扱ノ本質ニ適合スルモノト謂ハサルヘカラス（下略）」（東京地判昭四・三・六新聞三〇一四・一〇、類似の場合につき同旨、東京地判昭五・一二・一三新聞三二一八・一五）。

(2)　弁済のための供託は第三者（債権者）のためにする寄託として第三者のためにする契約の一種であるとするのが日本民法学者の通説であるが、これに対しては異論もある（石田・債権総論講義三〇〇頁、来栖・前掲民商五一七―八頁、五二四―五頁。前者においては、債権者が供託により供託所に対し供託物引渡請求権を取得するのは、弁済供託の性質上当然であつて、あえて第三者のためにする契約の理論を借りる必要はないとせられ、後者にあつては、弁済供託は現象形態としては債権者のためにする寄託だが、その本質は、かかる寄託が「弁済」として機能する側面にあるのだから、単なる第三者のためにする契約を以て観念すべきではないとされる）。

思うに、供託は種々の目的をもつてなされるのであるが、弁済供託についてみる場合、債務者の供託によつて債権者が供託所に対し供託物払渡請求権を取得するという点のみに眼を局限すれば、それは第三者のためにする寄託契約の性質を有すると言えそうではある。併し、弁済供託は、同時に、債権者に対する関係で債務者を免責せしめるという効果をも持つており、これら多面的な（債務者・供託所・債権者間および債務者・債権者間の）法律関係は一体として概念されている（いわば「対価関係」が直結され、このことに関連して若干の特殊の法律効果も付加される）のだから（例えば、甲が乙銀行の丙名義の預金口座に払い込む場合に、それは甲・丙間の実質関係としては種々であり得るが、預金の成立する関係と実質関係とは切離して観念しうる、ということと対比せよ）、少なくとも、弁済供託は――仮にそれが第三者のためにする契約だとしても――本来の単純な第三者のためにする契約ではないというべきであろう。しかも、更に供託者・供託所・被供託者間の法律関係自体について精察すれば、それは供託法・民法その他の関係条規によつて必然的に決定せられ、殊に債権者はその意に反するときにおいてさえも供託の効果を甘受せざるをえない場合があるということが認められるのだから、結局弁済供託は第三者のためにする契約でないというべきであろう。要するに、弁済供託は民法・供託法その他法令の規定による特別の法律関係（多数の法律関係の複合されたもので、私法的側面と公法的側面を併有する）だというふうに率直に解すれば、十分であろう。事実、今までに、供託の具体的法律効果の如何に関連して、それが第三者のためにする契約であるか否かが、裁判上正面から争われた例はないようである（因みに、供託所の処分に対する不服申立の手続を如何にすべきかが争われた大阪地判昭三五・一〇・二四下級民集一一巻一〇号二二四五頁および大阪高判昭三六・一一・二九下級民集一二巻一一号二八八二頁は、供託の性質を詳論しており、その中には聴くべきものが含まれている）。

(3)　特定の人に一定の給付をすることを内容とする負担付贈与は第三者のためにする契約であり、このことは行為の性質ないし慣行から推定できるとされる（我妻・債権各論（上）一一九頁。もっとも、我妻・債権各論（中一）二三三頁は第三者が負担を請求する権利を取得するか否かは約旨の如何によつて定まるとされるが、通常積極的な意思が推定されるとしてよいであろう）。正当なことはいうまでもなく、訴訟上争われた例もない。

(4)　公募寄付金の出捐行為の性質については、かつて学説は多岐にわかれていたが（フランスにおいても、貧困者・病人等の救済のために設けられた基金の性質が争われている――Colin et Capitant, t. 2, n°205）、募集の目的に使用すべき義務を伴う信託的譲渡と解するのが妥当である（中島「公募義捐金」続民法論文集二四九頁、石坂「寄附ノ性質」改纂民法研究（上）一九一頁、平野・判民大正一二年度五五事件。大刑判大一二・五・一八刑集二・四一九も同旨である）。そして、寄付の利益を受けるものが発起人に対して直接に請求する権利を取得するか否か（即ち、第三者のためにする契約を含むか否か）は、それぞれの場合の約旨によって定まるが、寄付者自身が権利を行使することは極めて困難なことを考えれば、できるだけこの受益者の権利の成立を認め、発起人の責任を重くすることが至当であろう（我妻・債権各論（中一）二三八頁。因みに、前掲・平野判民評釈では公募義捐金出捐行為が第三者のためにする契約たることを否定されているが、信託的譲渡は場合により第三者のためにする契約を含み得るとみてよいであろう）。

(5)　第三者の名義で預金を開始すること、第三者の預金口座に払い込むこと

これらが第三者のためにする契約であるか否かについては、ドイツにおいて争われた。すなわち、払込者の意思によって決すべしとすることは、判例・学説の一致するところであるが、その疑わしい場合については判例は次第に積極説に転じ、学説においても積極説が有力となってきた、といわれる（柚木・二〇七頁、Oertmann, Lehrbuch des B. G. B., 1928—9, §330, 4; Enneccerus-Lehmann, Lehrbuch des bürgerlichen Rechts, II. Band 1958, §35, I, 1.）。なお、スイスにおいては判例はこの問題につき肯定的見解をとるとのことである（我妻・債権各論（上）一一九頁、Oser, Kommentar zum schweizerischen Zivilgesetzbuch Bd. V1, Art. 112, Nr. 17）。わが国においても、学説は積極説が有力であるが、判例は、次のように、第三者名義で預金を開始する場合については事情により第三者のためにする契約を認めるが（【5】）、第三者の預金口座に払い込むのは、当然直接に第三者の預金たらしめるだけで、第三者のためにする契約ではないとする（【6】）。

【5】「被告抗争ノ要点ハ該預金カ原告名義ナルニ拘ラス真ノ債権者ハ告知参加人ニシテ原告ニアラスト謂フニ在リ仍テ案スルニ告知参加人カ原告名義ヲ以テ金壱千円ヲ被告銀行ニ預入シタル所以ノモノハ原告ノ母Aカ其死亡ニ際シ片身分トシテ告知参加人ニ対シ自己所有ノ財産中ヨリ金壱千円ヲ原告ニ与ヘ呉レ度キ旨

申遺シタルヲ以テ其告知参加人ニ於テ原告ノ為メ原告名義ヲ以テ金壱千円ヲ被告銀行ニ預入スルニ至リタルモノニシテ其事実ハ…………之ヲ認ムルニ余リアリ果シテ然ラハ告知参加人ハ亡Aノ意思ニ基キ原告ニ金壱千円ヲ与フルニ在リタルコトヲ認メ得ヘキヲ以テ原告ヲシテ該預金債権者タラシムル意思アリタルモノナルコトヲ推認スルニ足ル而シテ被告ニ於テモ本件預金取引ニ何等干与セサル原告ノ名義ヲ以テ告知参加入ト取引シタルハ原告ノ為メニスル意思アリタルモノト認ムルニ難カラサルヲ以テ該預金当事者間ニ所謂第三者ノ為メニスル契約成立シタルモノト認ムルコトヲ得ヘク従ツテ原告ヨリ被告銀行ニ対シ大正五年二月中右預金返還請求ノ意思表示ヲ為シタルコト…………明カナル本件ニ於テハ原告ハ右受益ノ意思表示ニ依リ完全ニ預金債権ヲ取得シタルモノト謂フヘシ」（京都地判大六・四・一九新聞一二七六・三〇）。

【6】　Y銀行はAと通謀しAよりXに支払うべき金額をXの当座預金口座に受入れた旨Xに対し虚偽の通知をしたところ、Xから該預金の払戻を請求したという事件であるが、最初に第三者名義の預金への振込の法律的性質について、次のように判示する。

「……又或ハ甲ハ銀行ノ了解ヲ得テ乙名義ノ預金ヲ為シ他日乙カ此預金ノ返還ヲ請求シ来ルトキハ銀行ハ之ニ応スヘキ旨甲ト銀行トノ間ニ取極メヲ為ストキハ是亦第三者ノ為メニスル契約ニ外ナラス然ルニ今乙ハ予ネテ同銀行ト預金取引アル場合ニ甲ハ乙ノ預金尻ニ金若干円ヲ振込ミタリトセムカ其ノ振込ミタルハ甲ヨリ乙ニ対スル同額ノ金銭債務ヲ弁済スル趣旨ナリシト将タ贈与ノ意味ナリシト抑亦其ノ他如何ナル理由ニ出テタルトヲ問ハス乙ノ預金尻ハ現実ニソレタケノ増額ヲ示シタルナリ銀行ヨリ乙ニ対シ右ノ如キ振込アリタルコトヲ通知スルト否トニ関セス又銀行ハ乙ニ対シ当該預金ヲ支払フヘシトノコトヲ銀行ト甲トノ間ニ於テ取極ムルト否トニ関セス甲ノ振込ニ因リ当該金円ハ当然ニ直接ニ乙ノ預金ト化シタルナリ正シク云ヘハ乙ハ当該預金払戻請求権ヲ取得シタルナリ又何処ニカ第三者ノ為メニスル契約ヲ云々スル必要ト余地トアラムヤ

之ヲ喩フルニ此ノ場合銀行ハ乙ノ為メニハ一種ノ金庫ナリ人アリ来リテ乙ニ交付スルノ意思ヲ以テ這中ニ金円ヲ投シ去リタリトセヨ誰カ乙ノ当然ニ直接ニ其ノ金円ヲ取得スルコトヲ怪マムヤ預金ノ場合亦爾リ唯取得スルモノ彼ハ則チ現金ニシテ此ハ則チ預金債権ノ差アルニ過キス其ノ或ハ乙ノ当該利益ヲ収得スルノ意無キニ於テ不当利得返還ノ方法ニ依リテ善後ノ策ヲ講スルハ固ヨリ以テ別問題ニ属ス」（大判昭九・五・二五民集一三・八二九）。

【5】の判旨が正当なことは明らかであろう。けだし、告知参加人は原告の母親の受任者たる資格で原告に対する贈与の方法としてこの預金契約をしたとみられるからである（この場合民六五三は排除されるとみてよい。たとえば、我妻―有泉・債権法コンメンタール四四七頁、我妻・債権各論（中二）六九六頁参照。また、受益の意思表示は必ずしも必要ないであろう）。しかし、本判決はおよそ第三者名義で預金取引を開始するのは第三者のためにする契約だとみているのだ、というふうに考えることは、いささか行過ぎではあるまいか。現に判旨はそのような表現をしていないし、また取引の実情からみても、他人名義冒用や架空名義の預金は相当に存在するからである（これら不真正名義の預金はその名義の如何に拘らず当該預入人本人の預金であり、ただ情を知らない第三者に誤認される危険があるだけである―中馬「預金契約」契約法大系Ⅴ五三頁註（一〇）参照）。因みに、銀行と顧客が通謀し第三者の名義を冒用して預金契約をしても、銀行に対する関係で当該第三者が預金者となるものでないことはいうまでもない（大判昭一三・一二・一七民集一七・二六五。但し、その説示は不十分である―判民一六一事件四宮評釈、ジュリスト二一四号四七頁（銀行取引セミナー）竹内発言、参照）。以上要するに、預入人以外の第三者をして預金債権を取得せしめることは可能であるが、そのためには預入人と銀行との間に特にその旨の真面目な合意が存在せねばならないのである。なお、ついでながら、銀行は預金契約をなすにあたり、特段の事情もないのに、預入のため来店した者が預金者本人であるか否かを積極的にせんさくせねばならぬ程の義務はなく、預金の払

出に当っても、特段の事情の認められない限り、届出済印章を押した預金証書等を呈示する者に支払えば免責されるものであることをここで付言しておく（従って、本件の場合も、もし銀行側で告知参加人が原告のために預金するものであることを知らず、また知らないことにつき過失がなければ、たとえ銀行が所定の手続で告知参加人に誤払したとしても、銀行は免責されるであろう）。

【6】の判旨に対してははやく我妻教授の反対があった（判民昭和九年度六七事件我妻評釈）。すなわち教授によれば、銀行と協議の上で第三者の預金口座に払い込むのは、金庫に金を投入するのとは質的に全く異なり（法律上の人格者たる銀行と然らざる金庫とを同視するのは甚しく不当である）、銀行と払込人との契約に外ならぬものであり、従ってそれが第三者に預金債権を取得させるためになされたのならば、まさしく第三者のためにする消費寄託なのである、という。論旨は首肯される（卑見によれば、判旨の真意は第三者の預金債権取得を銀行取引制度の当然の効果とみるに在ったのであろうが、この場合に制度的観察によることは些か行過ぎというべく、やはり個別的契約の効果として理解し、ただ第三者は受益の意思表示を要せずに当然に預金債権を取得するというふうに原則に修正を加えればよいであろう。けだし、民五三七Ⅱは任意規定と解せられるから（七五―六頁参照））。もっとも、預金口座への払い込みは遠隔地から行なう場合も多く（いわゆる、当座口振込）、この場合は制度の実態に応じてややこみ入った考察を必要とする。

ところで、以上の問題に関し、来栖教授は次のように詳密な分析をされている。

『第三者名義で預金することが第三者のためにする契約であるということはありうるが（京都地判大六・四・一九（前出【5】））、常に第三者のためにする契約として第三者に権利を取得させるとは限らない。例えば親が未成年の子の名義で預金しても直ちに子供に請求権を発生させる趣旨だと解すべきではないであろう。しかし親が子供に贈与する目的で子供名義に預金したというようなときには、子供に請求権が発生すると解してよい場合があると思われるが、その場合には法律的には、親は子供の法定代理人として贈与を承諾し、且子供名義で預金することにより贈与の履行をしているのである。つまり子供の側からみれば贈与の履行として受領した金額を預金したのと同じである。従ってその場合の子供の請求権は第三者のためにする契約に基く給付の請求権でなく、むしろ自分のした預金の払戻請求権とみるべきであろう。

第三者の預金に払い込むことについても、二つの事実を分けなければならない。例えば、「当座口振込」は、「送金人（振込人）の委託に基いて仕向銀行は受取人（被振込人）の取引銀行に対して被振込人の預金口座に振替入金方を手配し、これにより被仕向銀行が被振込人の預金口座に入金を行う方法」であるが（井上・内国為替一四七頁）、振込人が仕向銀行に対し被振込人が被仕向銀行にもっている預金口座に振替入金方の手配をしてくれと依頼する委託と、その委託に基き被仕向銀行が行う被振込人の預金口座への入金とは分けなければならない。前者、すなわち振込人の仕向銀行に対する振替入金方の委託が第三者のためにする契約か否かは問題となりうる。しかし一般には第三者のためにする契約でなく、被振込人の請求権はそれだけでは未だ発生しないとされている（Lehmann, Recht der Schuldverhältnisse, 1954, S. 143）。それなら、被仕向銀行の被振込人の預金口座への入金は第三者のためにする契約とみらるべきであろうか。「当座口振込を利用するのは、通常受取人が予め自己の取引銀行を送金人に指定し、送金方法として振込によることを依頼してある場合である（井上・前掲一四八頁）」。そういう場合であれば、被仕向銀行の被振込人の預金口座への入金は、単に第三者のためにする契約にとどまるものでなく、それによって弁済が完了し、それは被振込人が弁済として受領した金額を預け入れたと同一にみるべきではないだろうか。振込人が銀行に依頼せず自ら直接被振込人の取引銀行における預金口座に振込んだ場合も、勿論異らない』（来栖・前掲民商五一六一七頁）。

来栖教授の綿密な考察は傾聴すべきものを含んでおり、粗放な把握方法に対し反省を迫るものである。そして、第三者名義で預金することが必ずしも常に第三者のためにする契約とはならないことは確かに教授の所論の通りであろうと思う。当座口振込についても、その実態を分析すれば正にいわれる通りなのだが、振込人が当座口振込をするのは、所論のように受取人の指定に基き弁済の手段としてなす場合のほか、若干の場合があり得るであろうし（極端な場合として、振込人が被振込人であってもよい）、むしろ当座口振込は振込人・被振込人間の実質関係の如何を問わない銀行取引上の一制度となっているのだから、振込によって被振込人が預金払戻請求権を取得するといういわば形式的な面と、振込人・被振込人間の債権債務の決済というようないわば実質的な面とは一応分けてよいのではあるまいか。即ち、この場合、振込人と銀行との間の第三者のためにする契約の効果として（或は、もっと端的に——他人のために当座口振込という制度を利用したことの当然の結果として）、被振込人が被仕向銀行に対する預金払戻請求権を取得し、そのことによって振込人は被振込人への弁済その他をなしたこととなると解することができるのではあるまいか。そして、このように理解する方が関係者達の実感にも即応するのではあるまいか（当座口振込の場合、被振込人の受益の意思表示は不要であろう—もし被振込人が受益を望まないときも善後措置には事欠かないであろう。このことは、民五三七Ⅱを任意規定と解することにより根拠づけられると思うが、もしそのように解するのが不都合なら、そのような制度ないし無名契約の合目的的解釈としてそうなると言えばよいであろう）。最後に、当座口振込には自行本支店宛振込の場合と他行間振込の場合とがあり、前者にあっては、第三者のためにする契約とする構成を試みることに無理は感ぜられないが、後者の場合、その法律構成を分析すれば、それは振込人の仕向銀行に対する委託と、これに基づく仕向銀行の被仕向銀行に対する預金口座への入金方の委託とから成るわけであるから、単純にはゆかない。併し、他行間の場合も、被振込人に預金債権を取得させようとする振込人の当初の意図は仕向銀行・被仕向銀行間の委託関係に承継されているはずであるから、少なくとも仕向銀行・被仕向銀行間には被振込人をして被仕向銀行に対する預金債権を取得せしむべき・一種の第三者のためにする契約の関係があり、被仕向銀行が被振込人の預金口座に入金記帳をすることによってその時に被振込人は預金債権を取得する、とみてよいであろう（田中誠二・新版商行為法三一三―四頁、安武・銀行取引の法律実務一三七頁は預金成立時期につき同旨）。或はまた、前記の二つの委託関係は、振込人の意図の達成に向い前後の分担関係に立つことに着目しつつ、これらは一体として、被振込人に預金債権を取得せしむべき一種の第三者のためにする契約関係を成すものだと解することも不当ではないであろうし、もしそれが無理だというのなら、さきに一言したように、当座口振込の終始にわたる手続関係は制度化した一種の無名契約を成すものであって（個々の振込は、銀行間に予め取交された為替取引契約書ならびに被仕向銀行・被振込人間の当座勘定取引契約に準拠して行なわれる）、被振込人（振込人本人であってもよい）に被仕向銀行に対する預金債権を取得させる趣旨のものだ、と端的に説明すればよいであろう（なお、郵便による振込の場合と電信による振込の場合とで、法的性質に差異のないことは勿論である）。ついでながら、私としては、実定法の明確な裏付に欠けるきらいはあるが、最後の考え方が最も実体に即した率直な構成であって、すなおに自行本支店宛振込と他行間振込とを包括しうるのではあるまいか、と思っている。

(6)　電信送金の性質の如何は最も争われた問題である。

周知の如く大審院はかつて次の通り電信送金契約は第三者のためにする契約でないとした。

【7】 AはBに一、七〇〇円を送金するにあたり、便宜上Cを受取人としてY銀行に電報送金を委託した。しかし、約一ヶ月後に、都合により委託を取消して委託金の返還を請求した。ついでAは委託金の返還請求権をBに譲渡し、Bはそれを更にXに譲渡して、それぞれYに通知した。XからYに対し委託金返還を訴求。Yは、Aの委託解除前に、YのCに対して有していた債権と送金すべき債務とを相殺したから、解除は何等の効力をも発生せしめないと抗弁した。原審は、電報送金委託契約によつてYとCの間に債権債務の関係を生ずるものではないから、相殺は許されないとしてXを勝訴させた。Yは上告し、電報送金は第三者Cのために給付を求めるものであり、この手続によつてCは直接給付請求権を取得すると主張した。大審院は次の如く原判決を支持して、Yの主張を却けた。

「凡銀行業者カ電報送金ノ委託ヲ受ケ其ノ金員ヲ受取リ自己ノ本店又ハ支店ノ手ヲ経テ第三者ナル受取人ニ金員交付ノ手続ヲ為スハ委託者ニ代リ委託者ノ金員ヲ第三者ニ送付スルモノニシテ委託者ノ為ニ委任事務ヲ処理スルモノニ外ナラサレハ民法ニ所謂委任契約ニ胚胎スルモノト謂ハサルヲ得ス故ニ其ノ契約ノ効力ハ銀行ト委託者トノ間ニ止マリ固ヨリ其ノ契約ニ於テ銀行業者カ第三者ナル受取人ニ対シ自己ノ出捐ニ係ル金員ノ給付ヲ為スコトヲ約シタル場合ニ非サルヲ以テ第三者ナル受取人ニ於テ利益享受ノ意思ヲ表示シタルヤ否ヤノ問題ヲ生セサルハ論ナク従テ其ノ銀行ハ第三者ナル受取人ニ対シ何等ノ義務ヲ負フコトナク又第三者ナル受取人モ亦銀行ニ対シ何等ノ権利ヲ取得スヘキモノニ非ス故ニ之ヲ第三者ノ為ニスル契約ト謂フコトヲ得サルヤ明ナリ果シテ然ラハ其ノ委託ニ因リ生シタル債権ハ其ノ後ニ至リ仮令委託者ヨリ受取人ニ対シ送金ヲ受領スヘキ旨ノ通知ヲ為シ且銀行ヨリ受取人ニ対シ為替金到着ノ旨ノ通知ヲ為スコトアルモ為ニ第三者ナル受取人ノ債権ニ変更セラルルモノニ非ス」（大判大一一・九・二九民集一・五五七）。

右の事件では、電信送金は同一銀行の店舗間でなされたこと、また銀行は電信送金は第三者のためにする契約だと主張したことを注目すべきである。この判決には学者の多くが賛成したが我妻教授の有力な反対があった（判民大正一一年度八三事件評釈）。即ち、教授は、むしろ受取人に権利を与える方が取引の実情に適するし、またこの種の取引を発達せしめる所以だとなし、且つ、受取人の権利は受益の意思表示を要せずに発生するが（因みに、Yの上告理由では、送金受取人は別段受益の意思表示をせずとも特に受益拒絶の意思表示をしない限り給付請求権を取得するのが銀行取引における慣習だと主張されている）、送金委託者は右意思表示前に限り委託を取消して受取人の権利を消滅せしめることができるものであり、他方、電信送金は現実に送金受取人に金銭を交付することを本旨とすることにかんがみれば、銀行は受取人の右の権利を相殺の用に供しえないと解すべきであろう、とされた（この見解は債権各論(上)一一九頁においても維持されているようである）。

かくて約三〇年を隔てて次のように大審院判決に正面から反対する下級審判決が現われた。そして、これには前記我妻教授の見解が強く影響しているように思われる。なお、この事件においては、送金は二つの銀行の店舗間で行なわれたという点が注目される。

【8】　Xは、訴外A購買農業協同組合連合会に勤務していたが、その用務を帯びて京都市に住む訴外B方に滞在中、衣料購入資金の必要を生じたので、Aに同資金の電送方を求めた。Aはこれを受諾して昭和二三年一二月一六日訴外C銀行に対し、金一三〇万円を受取人をB方Xと指定して、電信による送金を委託した。C銀行は同日自己と電信為替取引契約のあるY銀行京都支店に対し、該契約に基づき、電信により金額及び受取人を前記のとおり指定してその支払を委託した。一方AからXに対する電信送金の通知は、同月一六、七日頃B方に到達したが、当時Xは他県下へ出張中で不在であった。ところが、BはXに連絡せず、自分の内妻の妹Dを銀行に使にやり、一三〇万円を自分の当座預金口座に入れてしまった。Y銀行に残っている電

信送金受取証には、受取人としてBの記名押印がなされており（Dが代行したもの）、その横にはY銀行の行員が支払（当座振替）のときに記載したXの氏名（その氏名は読みは同じだが字が違っている）があり、更にその下には——誰が押したのかわからないが——三文判が押されている。

Xは同月二八日京都市に帰つたが、Bから電信送金のあつたことを聞いただけで誰に宛てたものかは聞かず任地に帰り、翌二四年四月頃はじめてその送金が自分宛てのものであることを知つた。そこで、Xは同年七月に至り、訴外Eを代理人としてY銀行京都支店に対し、前記電信送金の支払を求めたが拒絶されたので、本件訴訟を提起した。

Xは、電信送金契約は送金受取人に被仕向銀行に対する支払請求権を与える・いわゆる第三者のためにする契約であるところ、Xは右受益の意思表示によつて支払請求権を取得したと主張、更に予備的請求として、仮にそうでないとしても、AとC銀行との送金契約・C銀行とY銀行京都支店との送金契約はいずれも一種の委任契約であつて、AはC銀行に対し指定受取人たるXへの支払を求める権利があり、C銀行はまたY銀行に対しXへの支払を求める権利があるのだから、AはC銀行に対する電信送金契約上の債権者としてC銀行に代位してY銀行に対し直接指定受取人たるXへの支払を求め得ることとなる筋合だが、更にXとAとの間にはXに対する送金契約が成立しているのだから、結局、XはAに対する送金契約上の債権者としてAの有する前記代位権を更に代位して直接Y銀行に対しXへの支払を求めるものである、と主張。Yはこれに対し、C銀行とY銀行京都支店の間の電信送金契約は委任契約であつて、Y銀行はC銀行以外の何人に対しても契約上の債務を負担するものではないから、Xには本件送金の支払を請求する権利はない、と争い、また予備的抗弁として、仮にXに支払請求権があるとしても、Yのなした当座振替は債権の準占有者に対する支払となる、という趣旨をも主張した。

第一審では次のとおりX勝訴。

「そこでC銀行とY銀行京都支店との間の電信送金契約が、いわゆる第三者のためにする契約であるか、それとも単純な委任契約に過ぎないかにつき判断する。

銀行業者が電信送金の依頼人から送金の委託を受け、自己と電信為替取引契約のある銀行又はその支店に対して、この契約に基き電信により送金支払を委託し、委託を受けた銀行又はその支店がこれに基いて送金依頼人の指定した送金受取人に対し電信送金の支払をする場合において、支払を委託した銀行と支払を受託した銀行との間の契約は、民法にいわゆる委任契約に属することは疑をいれないところである。しかしながら、送金依頼人は委託銀行に対して送金依頼と同時に送金の金員を払い込んでいるのが通常の事例であつて、同人の目的とするところは、専ら送金受取人に対して迅速確定的に送金を受領させることにあるから、送金依頼人は、特別の事情のない限り受取人に給付を受ける権利を取得させる意思があるものと解するのが相当であり、同人より送金の依頼を受けた銀行と同銀行より支払の委託を受けた銀行とは、送金依頼人の意思に基いて送金受取人に対して給付することを約しているものと解される。

このように解しないときは、受託銀行に債務不履行ないし誤払のあつた場合、その責任を問うことのできるのは委託銀行のみであつて、送金依頼人は委託銀行を通じてのみその責任を追求し得るに過ぎないから、その救済は不十分となるばかりでなく、電信送金により最も利益を受ける筈の受取人に至つては、この場合何ら救済の方法を有しないこととなる。このような結果は、取引の実情に合わぬばかりでなく、電信送金制度の円滑な運営を妨げることになるであろう。

以上の理由によつて、銀行間における電信為替取引契約に基く電信送金契約は、当事者間に別段の意思表示がない限り、受託銀行が委託銀行に対して第三者である受取人へ委託金員の給付をすることを約するいわゆる第三者の為にする契約に該当すると解するのが相当である。Yの引用する大審院判例（筆者註、前出【7】）は、本件の先例として適切ではない」（東京地判昭二八・九・七下級民集四・九・一二五三）。

右に対しY銀行は控訴したが東京高裁は次のように第一審判決と同様の趣旨で、且つ具体的な論拠をも加えて、控訴を棄却した。

【9】「当裁判所も亦原審と同様に本件における訴外C銀行とY銀行京都支店との間の電信送金契約がいわゆる第三者のためにする契約たる性質を有するものと解する。なるほど、Y主張の如く、本件電信送金に関する送金依頼人と委託銀行（仕向銀行）、右委託銀行と受託銀行（被仕向銀行）との関係がいずれも単なる委任契約に基くものであり、送金受取人は受託銀行に対する送金支払請求権を取得するものではないとする論もないではないが、電信送金は送金依頼人が送金受取人に対し迅速且つ確実に送金する目的を達するために設けられた制度であるから、送金依頼人から委託銀行に対し送金が依頼せられ（通常送金依頼人は同時に委託銀行に現金を払い込み、又は預金から振り替える等現実に払込があつたと同視すべき取引が行われる）、これに応じて委託銀行と電信送金取引契約のある受託銀行との間において送金受取人に現金の支払をする送金契約がなされた以上、送金受取人は受託銀行に対し受益の意思表示をすることにより、原則として受託銀行に対し直接送金の支払を請求し得るものとするいわゆる第三者のためにする契約がなされたものとする方が、より取引の実情に適し、且つ、送金制度の目的にも合致するものであつて、送金受取人が受託銀行に対し直接送金支払請求権を取得せしめて送金受取人は固より送金依頼人の電信送金制度に対する信頼感を増加せしめることにより、その制度の円満な運営と発達に寄与することになるものと考えられる。即ち、電信送金を取り扱う銀行業者はいずれも最も信頼度の高い資産内容を有し、且つ、通常相互にその資産内容に通じてい

るからこそ、委託銀行と受託銀行との間において迅速且つ確実な送金に関する取りきめをなし、現金の授受を省略して送金を実施する反面その送金資金の決済をなす方法をも定めた基本たる電信送金取引契約が締結されているものというべきであるから、仮に委託銀行の資産内容が悪化したため受託銀行において送金資金の回収決済ができなくなるような虞れのある場合においては（現在の銀行業者としては、委託銀行から電信送金の委託があつてから送金受取人が受託銀行において送金を受領するまでの極めて短時日の間において、委託銀行がかかる資金回収ができなくなるような事態に陥ることは通常あり得ない）、受託銀行においては委託銀行から送金の委託（個々の送金契約）がある際には、かかる虞れある事態を知つているのであろうから、基本たる電信送金取引契約の解消少くとも個々の送金委託の拒絶をなし、送金受取人の受託銀行に対する送金支払請求権の発生以前に受託銀行の不測の損害を防止し得る措置をとることが可能であるといえる。従つて既に受託銀行が個々の送金委託を承諾した以上（本件においては当時委託銀行たるC銀行の資産内容が悪化し、受託銀行たるYにおいて本件電信送金に関する資金回収不能の虞れがあつたとの証拠はない）、受益の意思表示により送金受取人に直接送金支払請求権を取得させても格別受託銀行にその資金回収の不安を生ぜしめるものとはならない。もとより電信送金における個々の送金契約を第三者のためにする契約と解しても、送金受取人が受託銀行に対し受益の意思表示をするまでの間においては、受託銀行の立場はYの主張する如く単なる委任契約と解する場合と何等の差異がなく、送金受取人に直接請求権が発生しないから、受託銀行は送金受取人に送金の支払をなすを要しないし、送金依頼人と送金受取人との間の送金に関する原因関係が変更ないし消滅した場合には送金依頼人において送金委託を解除することは可能である。第三者のためにする契約と解するときは、送金受取人の受益の意思表示があつた後においては、送金依頼人、送金委託銀行又は受託銀行の側において送金に関する契約を解除することはできないが、かかる場合には送金受取人は送金依頼人に対し、その返還義務を負うものとして当事者間の決済にまかせて差支なく、受託銀行は送金受取人に支払つた送金資金を最終的には送金依頼人の計算において回収し得るから、受託銀行としては特段の不安もなく、又かかる事態に介入して送金受取人に対する送金支払を拒絶し得るものとする何等の必要を見ない。控訴人の引用する判例(筆者註、前出【7】)は電信送金契約を以て第三者のためにする契約でないとしているが、当裁判所は電信送金契約の性質を上叙の説示に照らし第三者のためにする契約と解するから、右判例には従い得ない(なお、送金受取人の送金支払請求権と受託銀行の送金受取人に対する債権との相殺の問題は別途に解決することができ、送金受取人に現実に金銭を交付することを本旨とする送金契約の性質に鑑みるときは、かかる相殺は許されないものと解してもそのために特段受託銀行に不利益を来すものとは考えられない)。」(東京高判昭二九・九・一一民集七・九・六七八)。

右の東京高裁判決が現われるや、電信送金契約の法的性質をめぐり金融界ならびにその関係方面で活潑な論議がたたかわされ、判決に対する賛否の論が数多く出されたが、Yは電信送金は第三者のためにする契約ではないとして上告した。

【10】　上告理由(要約)　(一)　電信送金契約の法律関係は、送金人――仕向銀行間、仕向銀行―被仕向銀行間、被仕向銀行――送金受取人間の三つに分けて考えられるが、第二の関係については予め両銀行間に基本たる電信為替取引契約が取りかわされており、送金人の依頼に基く個々の送金手続は右基本契約に則つて行われるものである。ところが、基本契約は両行間の単なる相互的支払委任契約に過ぎず、第三者たる送金受取人に直接被仕向銀行に対する払渡請求権を取得せしめる趣旨を含んでいない。すなわち、送金人の依頼に基き仕向銀行が被仕向銀行あてに発する支払指図の暗号電報は、独民七八三条以下にいわゆる指図(Anweisung）に相当し、送金受取人は仕向銀行―被仕向銀行間の基本契約より反射的に生ずる被仕向銀行に対する送金額支払の期待的利益を受ける地位・資格（あたかも支払銀行に対する小切手所持人の地位に相当する）を有するというに過ぎないのである。

㈢　電信送金の基本契約は銀行相互間の慣習を基にして、日本銀行が統一しているもので、本件の当事者にはかかる一般的慣行を変容するような特殊の事情は認められない。従つて、電信送金契約の法的性質の決定はまずかかる慣行的取引の実情の検討からはじめられねばならず、原判決のように、電信送金のあるべき姿を勝手に頭に描きそれに従つて意思解釈をすべきものではない。ところが、現実の取引慣行は第三者のためにする契約たるの意思をもつてなされていないこと左の通り。

(1)　わが国の電信送金取引制度は、英国のものの慣行的継受だが、英国においてはそれは単純な委任契約と解されている。

(2)　わが電信送金契約の取引慣行の実情をみるに、送金受取人から被仕向銀行に対し送金払渡の請求をしても、仕向銀行からの指図電報が未着なら該銀行は支払わないし、また送金依頼人から申出があれば、送金受取人にいまだ支払つていない限り、銀行は受取人の支払請求があつたと否とにかかわりなく、送金依頼の取消即ち「組戻し」に応ずる。これらは慣行たる電信送金契約が第三者のためにする契約でないことを証するものである。従つて、もし反対に第三者のためにする契約だとすれば、組戻し手続の根本的改変を要し不都合である。

(3)　大正一一年の大審院判決以来、電信送金は単なる委任契約だとする慣行が少くも明確化・固定化されたのだから、この安定をくつがえすは不当。

(4)　電信送金における支払銀行の地位は、小切手契約における支払銀行の地位より遥かに不安全なのに、今電信送金を第三者のためにする契約と認めるならば、小切手契約を第三者のためにする契約ならずとする従来の判例学説は不都合となる。

最高裁は右の上告理由を容れて次のとおり原判決を破棄差戻した（因みに、ここでは電信送金契約が第三者のためにする契約であるか否かについては、直接に判示していない）。

「電信送金契約は、送金依頼人と委託銀行との間及び委託銀行と受託銀行との間にそれぞれ取り組まれているのであるから、それらの契約が第三者たる送金受取人に直接権利を取得させる趣旨を内容とするものであるか否かは、当事者間の意思解釈の如何によることであつて、これがためには、電信送金の取引の実情を検討することが看過されるべきでない。すなわち、まず、銀行間で取り扱われる電信送金契約についていえば、……銀行においては、あらかじめ相互間に締結してある電信為替取引契約に基づいてなされている……それ故、右電信送金契約が第三者たる送金受取人に直接権利を取得させる趣意のものであるか否かを判断するについては、右基本契約たる電信為替取引契約を如何に解釈するかが重要な関係をもつ……。又、これを本件送金依頼人と委託銀行との間の電信送金契約についてみても、その法律上の性質は、右電信為替取引契約との関連においてでなければ第三者たる送金受取人のためにする契約と解するか否かを判断し得ない……。けだし、送金依頼人においても、特別の事情のない限り電信為替取引契約に基づいてなされる委託銀行受託銀行間の電信送金契約を利用するにとどまることを通例とするからである。

してみると、原審のように、単に電信送金が送金依頼人において送金受取人に対して迅速且つ確実に送金する目的を達するために設けられた制度であるからという理由で、本件電信送金契約をもつて第三者……のためにする契約たる性質を有するものと即断することは許されない……、すべからく本件電信送金契約の基本契約たる電信為替取引契約の内容について検討を加うべきは勿論、送金依頼人が、委託銀行に対し本件電信送金の取組依頼をするにつき、特に第三者たる送金受取人のためにする趣旨を表示したか否かについても判断がなさるべきである。……」(最判昭三二・一二・六民集一一・一三・二〇七八)。

そして、この最高裁判決に対しても賛否の両論があつたが、本判決による差戻後の控訴審では、第三者のためにする契約なりとするXの主たる主張に加え、Xがかつて第一審で主張した債権者代位権の代位行使が再び問題となつた。しかし、控訴裁判所は最高裁の判示の線に沿い電信為替取引契約の内容を検討し、その帰結としてXを全面的に敗訴せしめた。

【11】「思うに……この場合における法律関係は銀行間の慣行によつて定型化される傾向あるにせよ、なおその性質は抽象的、一般的に決すべきものでなく、具体的に決すべきものである。よつてC銀行とY銀行との間の右電信送金契約の性質について検討するに……両銀行間には電信為替取引契約が存在していたことを認め得るが、該契約は送金受取人に対する支払については、「取組通知に符合する電報送達紙を呈示したる者を本人と看做し之が支払を為すものとす」と定め、又「電信送金為替受取人に対し被仕向店に於て保証人を立つることを請求したる場合相当の保証人なきときは其の支払を拒絶することあるべし」と定めるに止るのである。よつて右両条項と電信送金の目的とを併せ考えて、送金受取人の地位を判断するに、電信送金は特定人を以てその受取人と指定するものであるけれども、受取人が必ずしも支払の委託を受けた銀行と取引関係ある者でない以上、銀行は受取人と称する者に支払をするに当つて受取人たることを確めることを必要とし、ここにおいて「電報送達紙を呈示したものを本人と看做し」、これに支払うべきこととなり、受取人においても送金を受領するためには、電報送達紙を銀行に呈示することを必要とするに至るのである。従つて予め送金受取人と指定された者であつても、電報送達紙を呈示しない限り、銀行に対して送金の支払を請

求し得ないこととなるのである。更に支払銀行においては、その裁量に基き、受取人なりとして支払を求める者に対して、保証人を立てるべきことを要求することができ、若しこれに応じないときは、支払を拒み得ることは、前示条項によつて明かであり、かかることは受取人と称する者が真実の受取人であつても行われ得るものと解されるのである。而して右認定の事実を綜合すれば、予め送金受取人として指定された者と雖も、単に受取人と指定されたことのみに基いて、当然に支払銀行に対して支払を求め得るものでないことは明かであり、換言すれば銀行に対して支払を請求する権利を有するものとは認められないのである。而して第三者のためにする契約においては、第三者は受益の意思表示をなすことにより、諾約者に対して権利を取得するものである以上、前示電信送金における送金受取人は、かかる第三者のためにする契約の第三者に該当しないことは、明白である。従つて第三者のためにする契約の存在を前提とするXの請求は既にこの点において失当たることを免れない。

よつて進んで、X主張の予備的請求につき判断する。この点に関するXの主張は、畢竟訴外C銀行がY銀行に対して送金受取人であるXへの支払を請求する権利を有することを前提とするものであり、Yはこれを争うところ……C銀行はY銀行に対して送金受取人に支払をなすべきことを委託したことは認め得るけれども、しかも前示認定の如く電信為替取引契約上において、Y銀行は送金受取人として指定された者に対して必ず支払を為さなければならないものでなく、却つて電報送達紙の呈示を必要とし又保証人を立てることを要求し得る以上、右契約はY銀行のC銀行に対する関係においてもY銀行がXへの支払義務を負担していたものとは認められない。換言すれば本件の場合、C銀行とY銀行との間の支払の委託は、C銀行の計算において支払をなし得る権限を与えたに止り、特定人たるXに対する支払義務を課していたものではないのである。しかるに若し反対の見解をとるときは、Y銀行はXがたとえ「電報送達紙を呈示」しなくとも、必ずこれに支払わざるを得ないこととなり、前示認定の事実と矛盾するに至るのである。然らばC銀行はY銀行に対しXへの支払を請求する権利を有しないことは明かであり、従つてかかる権利の存在を前提とするXの予備的請求も亦理由がない……」（東京高判昭三四・五・三〇下級民集一〇・五・一一二九）。

そこでXは再び上告したところ、最高裁は、次のように、第三者のためにする契約か否かの点にはふれず、ただ、被仕向銀行が仕向銀行に対しても義務を負わないというのは誤りであるとして、再び事件を差戻し、今日に至つているのである。

【12】「電信為替取引契約に基づき仕向銀行から指定受取人に支払うべきことを委託された以上、被仕向銀行は、仕向銀行に対する関係において、指定受取人に委託金を支払うべき義務を負担することは当然であつて、前示条項は指定受取人の送金受領のための方式乃至手続を定めたものであり、被仕向銀行にとつては一種の免責約款のはたらきをするものと解するのが相当であつて……」（最判昭三八・二・二六民集一七・一・二五〇）。

因みに、本件と事案は異なるが、被仕向銀行が正当受取人でない者に誤払したので、送金依頼人が送金契約上の義務がいまだ果されていないとして仕向銀行および被仕向銀行に契約の解除を申入れ、被仕向銀行に対し委託金の返還を求めた、という場合について、電信送金における送金依頼人と仕向銀行との関係は委任契約関係であり、仕向銀行と被仕向銀行との関係は委任契約に胚胎する特殊の契約関係であつて、送金依頼人と被仕向銀行との間に直接の権利義務関係を発生せしめるものではなく、送金受取人をして被仕向銀行に対する為替金支払請求権を取得せしめることもないのであり、また電信送金に相次運送の規定を準用することもできないのだが、被仕向銀行がその仕向銀行に対し受託した事務を完了していないと認められる場合には、送金依頼人は仕向銀行に対し契約解除の申入れをなすことにより、仕向銀行の被仕向銀行に対する解除権を代位行使しうるとなし、更に、被仕向銀行が誤払したにも拘らず免責されるためには、単に免責約款所定の手続を形式的に履践したというのみでは足らず、なお銀行として無重大過失であつたことを要する、と説示する下級審判例がある（札幌高判昭三三・六・七民集一一・五・三四三）。

さて、前者（【8】ないし【12】）の事件についてみるに、送金依頼人A・送金受取人X・訴外Bの相互の関係や行動には理解し難い点があり、殊に、もしAが自ら適時に仕向銀行を訴えたとすれば、送金受取人の権利の有無を問題にする必要はなく、事態はもう少し簡明に推移したのではないかと思われるし、また送金受取人の被仕向銀行に対する送金支払請求権を否定しさえすれば直ちに銀行は安泰というわけではないので、本件をめぐる「第三者のためにする契約」論争はいささか誇大の感もないではない。殊に、このような事故は稀有の例外に属するものと想像され、本件でY銀行京都支店が今少しく慎重であつたならば、問題を未然に防止し得たのではないかと感ぜられるにおいては尚更である（もつとも、この点はX・B間の実質的な関係とも関連するので、それにつきなお糾明すべき余地があるかもしれないが）。しかし、これらの事情にもかかわらず、送金受取人の送金支払請求権の有無の問題を論ずることが無用なものであるとは云えないであろう。

そこで、電信送金契約が第三者のためにする契約であるか否かだが、肯定・否定いずれにも理由がある。しかも、これに関しては、わが民法五三七条以下の規定を厳格に解するかゆるやかに解するかの点が絡んでいて、明快に割切れない感があるが、私は送金受取人の保護を強く見て（類似の制度たる普通送金においては、送金受取人は送金小切手の所持人として直接仕向銀行にかかつてゆくことができるのに、電信送金の受取人にはこのような権利はない（もつとも、電信送金に相次運送の考え方を推し得るなら別だが、これは一般の承認を得がたい）という点との権衡を考えよ。なお、最高裁の第二次判決（【12】）は受取人を救済するための便宜策として債権者代位権の累積的行使を認めるやにみえるが、この場合債務者の無資力という要件がいりそうなので、無理ではないかと思われる）、問題を肯定したい（因みに、電信送金に二つの銀行が関与する場合にあつては、電信送金契約は送金依頼人と仕向銀行との間及び仕向銀行と被仕向銀行との間にそれぞれ取組まれ、単純ではないが、送金依頼人の当初有したであろう合理的な送金目的が仕向銀行・被仕向銀行間の契約にも受けつがれるべきものとみて、少なくとも仕向銀行・被仕向銀行間の契約は送金受取人をして被仕向銀行に対する送金支払請求権を得しめる趣旨のものであると解すべきだとしても、不条理ではないであろう（【8】参照）。或いはまた、前記の二つの契約関係が送金目的の達成に向い前後の分担関係に立つことに注目しつつ、これらは一体として、送金受取人に請求権を与えるべき一種の第三者のためにする契約を成すものだと解することも必ずしも非常識ではないであろうし、もしそれが無理だというならば、電信送金の全契約関係は制度化した一種の無名契約であつて、送金受取人に被仕向銀行に対する支払請求権を取得させる趣旨のものだ、と率直にいえばよいであろう）。もつとも、そうすると、次のような矛盾が気にかかる。すなわち、普通送金においては、通例小切手が用いられるが、小切手の所持人は支払銀行に対する請求権をもたないとせざるをえないので（次頁参照）、もし電信送金で受取人の支払銀行に対する請求権を認めるとすれば、同一の目的をもつ二つの制度につき、単なる伝達方法の差異だけから別異の法律構成をとることになるが、それはおかしくはないか、という点である。しかし、古い沿革をもつ前者と新しい制度たる後者とを強いて統一的に解する必要はなく、後者はそれ自体としての合目的性に徹してよいと、割切つて差支ないであろう。なお、被仕向銀行が仕向銀行に対し全然義務を負わぬとする考え方は明らかにあやまりであろう（【11】【12】対照）。

後者（札幌高判）の事件につき判例の説くところに関しても、右に準じて考え得るであろう（因みに、被仕向銀行が銀行としての相当の注意を怠つて正当受取人ならざる者に誤払した場合、送金依頼人は、一つの方法として、仕向銀行がいまだ受任事務を完了していないとの理由で「組戻し」による委託金の返還請求を仕向銀行になしうるはずだから、判旨のように債権者代位権の行使の方法に訴えることは必要でもないし、また—前述のように—得策でもない、と解する。但し、被仕向銀行の免責要件に関する判決の理論は正当であり、この事件の場合送金依頼人に委託金の返還請求権がないとする判旨の具体的判断も妥当と認めざるをえないであろう。なお、送金依頼人と被仕向銀行との法的関係づけや相次運送の規定の準用は解釈論としては理論構成がむずかしいが、目的的見地からこれらを肯定すべきかもしれない)。

以上の他、電信送金に関する詳細は別稿(中馬「電信送金と第三者のためにする契約」判例演習〔債権法1〕二二七頁以下)に譲るが(なお、前掲【12】に対する評釈として、三宅・判時三四〇号六五頁もある)、このような制度化した契約(個々の送金は銀行間にあらかじめ取交された為替取引契約書に基づき行なわれる)には約款の合理化・明確化が緊要なること、また、このようなものは必ずしも民法の枠に捉われず、第三者に請求権を与える趣旨の無名契約として構成する方がまさるのではないかということを、ここで特に強調しておきたい(電信送金や当座口振込においては、第三者への給付は、単に契約の附款として約束されるのでなく、むしろ契約全体の構成が端的に第三者への給付そのことに向けられている(そして、第三者は契約当事者たる依頼者本人であつてもよい)という点で、これらが本来の「第三者のためにする契約」概念からは些かずれていることに注意せよ。)。

(7) 当座預金勘定契約は、小切手所持人に銀行に対する支払請求権を取得させるものではないとするのが判例通説である(【13】【14】、東京地判明四二・四・二九新聞五九二・九、我妻・債権各論(上)一一九頁、戒能・八三頁、柚木・二〇八頁、伊沢「手形法・小切手法」五四九頁など。なお、【13】の評釈、鈴木・判民昭和六年度五九事件は判旨賛)。

【13】 訴外A振出の小切手の所持人たるXは支払人たるY銀行に小切手を呈示して支払保証を求めたところ、Aに支払資金なしとの理由で拒絶された。そこでYに対し小切手の支払保証と支払を求める訴を提起して曰く、「AはYと当座預金取引勘定を有するが、該勘定契約なるものは、第三者のためにする契約の性質を有し、該契約の第三者たる小切手所持人が受益の意思表示をして請求したならば、銀行はこれに対し預金の存する限度で必ず支払又は支払保証をなす義務を負うものである。もし然らずとするも、銀行が常に所持人の請求に応ぜねばならぬことは商慣習によつて認められている。然らば、現在Aの資金は充分に存在している故、銀行が支払又は支払保証に応ぜざりしは不当である」と。併し、第一審・第二審ともにかかる義務の存在を否定したので、更に上告したが、またもや次のごとく棄却。

「当座預金勘定契約ハ預金者ト銀行トノ間ニ成立スル契約ニシテ預金者ノ預金ノ存スル限度又ハ貸越契約ヲ為シタルトキハ其ノ貸越ノ限度ニ於テ預金者カ銀行ヲ支払人トスル小切手ヲ振出シタル場合ニ於テハ銀行ハ預金者ノ為ニ小切手ノ支払保証ヲ為シ又ハ其ノ支払ヲ為スヘキコトヲ約スルモノニシテ当事者間ニ於テノミ効力ヲ生スルコトヲ通例トシ特段ノ約定ノ存セサル限ハ第三者タル小切手ノ所持人ノ為ニスル趣旨ヲ包含セス即将来振出スコトアルヘキ一切ノ小切手ノ所持人ニ対シ若右所持人ニシテ当該利益ヲ享受スル意思ヲ表示シタラムニハ銀行ハ常ニ当然ニ所持人ニ対シ其ノ請求ニ応シテ支払保証ヲ為シ又ハ支払ヲ為スノ責ニ任スルモノニハ非ス換言スレハ銀行カ預金ノ存スル限度又ハ貸越ノ限度ニ於テ尚且所持人ノ請求ヲ拒ミ支払保証又ハ支払ヲ為ササル場合ニ於テモ単ニ預金者ニ対スル関係ニ於テ前示契約ニ依ル債務ノ不履行ノ責ヲ負フニ止マリ所持人ハ銀行ニ対シ前示契約上ノ権利ヲ主張スルヲ得サルモノナルコトハ実験則上明瞭ニシテ……」（大判昭六・七・二〇 民集一〇・五六一）。

【14】「銀行ニ対スル当座預金者ハ通常其預金契約ニ伴ヒ右銀行ト小切手契約ヲ締結シ之ニ基キ自己ノ当座預金額又ハ貸越契約存スル場合ハ其貸越額ヲ限度トシテ該銀行ヲ支払人トスル小切手ヲ振出スヲ常トスルモノナリト雖モ右小切手契約ハX主張ノ如ク右振出人ト支払人トノ間ニ於ケル所持人ノ為メニスル所謂第三者ノ為メノ契約ニ非スシテ振出人ヨリ支払銀行ニ対スル小切手ノ支払ニ関スル事務ノ委託ヲ目的トスル一ノ委任契約ニ外ナラス従テ支払銀行ハ所持人ニ対シ当然之カ支払保証ヲ為シ若クハ其支払ヲ為ササルヘカラサル義務ヲ負担スルモノト解スヘキニ非ス而シテ此理ハ振出人ノ該支払銀行ニ対スル預金カ右小切手金額ヲ支払フニ十分ナル場合ト雖モ異ナルトコロナク唯カカル場合ニ於テハ右支払銀行カ之ニ応セサルトキハ振出人ニ対スル関係ニ於テ委任契約上ノ義務不履行ノ責ヲ負フ事アルニ止ルモノト云ハサルヘカラス従テ支払銀行カ当然小切手所持人ニ対シ支払保証ヲ為シ且其小切手金ノ支払ヲ為スヘキ義務アリト為スXノ主張ハ採用シ

難シ次ニXハ支払銀行ハ当座取引ヲ有スル者ノ預金カ小切手金額ヲ支払フニ十分ナル場合ニ於テハ所持人ノ請求ニヨリ支払保証ヲ為スヘキ義務ヲ負担スル商慣習アリト主張スレトモ……各鑑定ノ結果ニヨリテモ右ノ如キ場合ニ於テ支払銀行ハ小切手所持人ニ対スル関係ニ於テ必ス其請求ニ応シ支払保証ヲ為ササルヘカラサル義務ヲ負担スル趣旨ノ商慣習アルコトヲ認ムルニ足ラス其他之ヲ認ムヘキ何等ノ証拠ナシ」（東京控判昭五・一二・一六評論二〇民法三五一、【13】の原審）。

わが国において、小切手の所持人はその支払人に対する関係では、単に支払を受け得る地位乃至資格（権限）を持つに過ぎないという見解が定説を成しているのは、小切手がそもそも支払手段たる性格のものであること、わが国では手形（小切手）関係と資金関係とを分離する法律構成がとられていることなどから生じた不可避の帰結ともいうべきものである（前田「当座預金契約の性質」手形小切手判例百選二〇六－七頁参照）。

(8)　履行の引受（Erfürungsübernahme）は同時に第三者のためにする契約たることがありうるか。乙が甲に対して甲の丙に対する債務を履行することを約するのが「履行の引受」だが、かかる契約は一般には乙が甲に対してのみ義務を負うもので（不真正な・第三者のためにする契約）、乙が直接丙に対して義務を負うのは、当事者たる甲・乙間にそのような特別の意思が認められる場合に限る、というのが判例・通説である（なお、独民三二九参照）。すなわち、後者の場合には履行の引受は同時に第三者のためにする契約を含み、いわば履行の引受と併存的債務引受との結合形態が認められるわけである。しかし、判例が今日の理論に到達するには、明治以来かなりの年月を要したことが認められている（以上の点については、我妻・債権各論（上）一一九－二〇頁、同・新訂債権総論五七三－五頁、末川・一

一一頁、末弘・一九二一三頁、東・判民昭和一一年度八七事件評釈、四宮「債務の引受」総合判例民法⒁三八—四五頁、六四—八頁参照）。

それでは、判例は、具体的には、如何なる場合に単なる履行引受を認定し、如何なる場合に履行の引受の外に併存的債務引受をも認定しているのであるか（以下にあげる諸判例のほとんど全部につき、四宮・前掲総合判例四一頁以下にその要旨が摘示されているので、各判例につき同書の判例番号を付記しておく）。

（イ）まず、営業譲渡の場合における既存の営業上の債務の帰趨について、古い東京控判は、営業全部の譲渡の場合には——この事件の場合、営業譲渡人・譲受人間に履行の引受の約束があったらしいが、明確ではない——併存的債務引受のなされる商慣習が認められるとしたが（東京控判大元・一二・二四新聞八七〇・七（四宮【38】））、同じ東京控訴院の大正八年五月二七日の判決は同様な事件について単なる履行の引受のみを認め、その上告審も同趣旨の判決をしている（大判大八・一二・二五民録二五・二一八六（四宮【56】））。ところが、近年に至って、下級審では、「営業の譲渡」という場合の営業とは、営業関係の債務を併せ含むのであるから、営業譲渡の契約は特段の合意をしない限り、譲受人が営業上の債務を引受ける趣旨であると解すべきだとする・いわば割り切った判例も現われている（東京高判昭二六・九・一二下級民集二・九・一〇七六（四宮【39】）—商判研昭和二六年度七事件鴻評釈（判旨反対）、東京地判昭三一・一〇・二四下級民集七・一〇・二九八五—宮内・ジュリスト二〇二号九四頁商判研（判旨反対））。

（ロ）抵当権の目的たる権利の譲渡とともに担保される債務の履行の引受が行なわれた場合については、大審院は、債権者に直接権利を取得させる意思が当事者にあるかどうかは「各場合ニ付決スベキ事実問題ニ属ス」ると論じつつ、併存的債務引受の伴うことを否定した（大判昭五・三・一二新報二二一八・一三（四宮【34】））。

（ハ）財産を引受けその代りに債務の履行を引受けた場合については、或いは、債権者に直接請求権を取得させる約旨か否かを審理せよと云い（大判昭一一・七・四民集一五・一三〇四（四宮【35】）―判民八七事件東（判旨賛））、或いは、併存的債務引受の成立を認める（大判昭七・三・二六新聞三三九六・一一（四宮【37】））。

（ニ）　なんらかの対価を取得して債務の弁済を引受けた場合については、併存的債務引受が伴うと認める（大判昭一〇・一〇・一九新聞三九〇九・一八（四宮【33】））。

（ホ）　建物および土地賃借権を買受けた者が、その代金の一部の支払に代えて、売主の第三者に対して負担する借地権買受代金債務を履行すべきことを引受けた場合については、併存的債務引受の伴うことを推定するが（大判昭九・一二・一〇裁判例（八）民二八六（四宮【32】））、借地上にある建物の抵当権を実行する者が敷地の延滞賃料を競売代金の一部に計上してこれを地主に支払うべきことを抵当権設定者に約した場合については、単なる履行の引受にすぎないという（大判大四・七・一六民録二一・一二二七（四宮【30】））。

（ヘ）　債務だけが切離されてその履行の引受がなされた場合、それが債務者に対する引受人の慈善心に基づくものであるときは、一般に、単なる履行の引受とみられる、とする（大判昭一四・一二・二三新聞四五二一・七（四宮【36】））。

学説はどうかというに、営業の譲渡・抵当不動産の売買などの場合のように、債務負担に関する実質的利害関係――債権者が従来の債務者に対して債権を取得しこれを保有し来つた経済上の理由――が第三者に移転し、これに伴つて営業上の債務や被担保債務の履行が引受けられた場合には履行の引受と併存的債務引受との結合形態を生じ、引受人をして債務者と契約をなさしめるに至つた経済上の事情が、従来の債務者に免責を得しめてこれに利益を与えることのみを要求していると認められる場合、例えば、慈善・謝恩・返礼等の意味で元来債務には無関係の第三者が債務者に無償で財産上の利益を与えようとしているとみられる場合や双務契約当事者の一方が反対給付の代りに相手方の第三者に対する債務を弁済すべき旨を約する場合などは、履行の引受のみが成立する、とする説(末川「併存的債務引受」民法に於ける特殊問題の研究第二巻一二三—九頁)が有力である。

思うに、判例の判断は、具体的に妥当な場合もあるようだが、そのとる判定基準が明確を欠くきらいがある。これに対し、右の学説は、各場合における事態の客観的性質を考慮しつつなるべく明確な判断の標準をたてようとつとめるもので、引受人の債権者に対する直接の義務負担を認めることも判例におけるよりは広い。しかし、その態度はなお狭きに失しはすまいか。私としては、次のように解したい(我妻・新訂債権総論五七六頁に説かれるところとほとんど一致する)。(Ⅰ)まず、判例・学説が(ヘ)のような場合に併存的債務引受を否定するのは正当であろう。けだし、債務者は引受人に対しなんらの出捐もしていないのだから、当事者の特段の意思の認められぬ限り、引受人の債権者に対する直接の義務負担を認めるのは酷であろうから。(Ⅱ)(イ)のような営業譲渡のときに履行の引受が約された場合について、学説が併存的債務引受の伴うことを認めるのは、おそらく正当であろう(免責的債務引受を認むべき事情の存しない限りは、併存的債務引受を認むべきであろう)。けだし、この場合、営業譲渡人の債務の責任を構成する権利関係は営業譲受人に移転し、これに対し譲受人が右の債務の履行を引受けたという事情にあるのだから(因みに、(イ)に掲げた東京高判昭二六・九・一二や東京地判昭三一・一〇・二四の判旨は、わが商法二八条の立法理由や、その母法たるドイツ商法二五条三項の解釈論とは背馳するようであり、また恐らくわが商法学者や裁判所の一般の考え方にも反するであろうが、それにも拘らず、実質的に首肯すべきものを含むのではないかと愚考する(けだし、単なる営業財産の譲渡ではなく、営業の譲渡の場合なのだから)。しかし、右判旨のように、営業の譲渡というそのことだけによって、当然に債権者に対する営業譲受人の債務引受を推定するということは、なおいささか大胆に過ぎる感があるので、営業譲渡の実態をあまねく調査してからでなければ、なしえない、とする方が無難であろう）。（Ⅲ）つぎに、（ロ）のような抵当権の目的たる権利の譲渡に伴う履行引受の場合についても、併存的債務引受の伴うことを認むべきであろう。けだしこの場合、譲渡人の債務の直接の責任財産が譲受人に移転せしめられ（しかも、抵当権には追及効がある）、これに対し譲受人が右の債務の履行を引受けたという関係にあるからである（この場合に、抵当権には追及効があるのだから、必ずしも譲受人の債権者に対する直接の義務負担をまで認める必要はないというふうにも考えられなくはないが、このように解しては、わざわざ履行の引受がなされたことの実質的な意義は殆ど失われるであろう）。（Ⅳ）更に、（ハ）のように財産の引受に伴って諾約された場合については、（Ⅱ）に準じて考えるべきであろう（なお、独民四一九参照）。殊にこの場合は、負債整理そのことを目的として財産の引受がなされているにおいては、尚更であろう（前掲大判昭一一・七・四は、その抽象的理論においては正しいが具体的妥当性には欠け、むしろその原審秋田地判――第三者のためにする契約になる、という――の方が正しいと考える。もっとも、大判昭七・三・二六が、履行の引受は第三者のためにする契約に外ならないという（右の秋田地判もその気味がある）のは、行き過ぎである）。（Ｖ）最後に、（ニ）（ホ）のような場合は、実質上債務者が引受人に対しなんらかの出捐をし、これに基づいて履行の引受がなされているのだから、原則として併存的債務引受の成立を推定するのが、契約当事者間の公平に適し、また債権者の利益にも合するであろう（引受人は同時に債務者の財産を取得しているのだから、併存的債務引受を否定することは、多少にもあれ債権の担保力を弱める結果になること、またこの種の場合、引受契約によって債務者の引受人に対する売買代金債権などが決済されていることが多く、そのような事情のもとにおいては、引受人に対する債権者の直接請求権を認めることは、債務者の利益にもなるであろうということを考えよ）。もっとも、前掲大判昭九・一二・一〇の事案は、特にその実情にかんがみれば、単に推定に止まらず、当事者の主観的な意思として確定的に併存的債務引受を認むべき場合のようである。（Ⅵ）付言するに、少なくも（Ⅱ）（Ⅲ）（Ⅳ）の場合には、併存的債務引受の成立するために債権者の受益の意思表示は不要と解してよいのではあるまいか（独民四一九は（Ⅳ）の場合につき財産の引受人の法定債務参加（但し、限定責任）を定めている）。

ついでながら、判例によれば、債権者と引受人との契約による免責的債務引受は——旧債務者をして債務を免れしめるもので、債権を取得せしめるものではないから——第三者のためにする契約ではないとせられ（大判昭八・九・二六新聞三六一八・七、法学三・三・九〇一この要旨は四宮・前掲総合判例民法⒁八頁【3】を参照せよ）、学説もこれに賛する（四宮・上掲七頁、田島等・三一二頁）。理由づけに疑問はあるが、一応妥当としてよいであろう（特殊の「第三者のためにする契約」——債務者は当然に免除の効果を受けるが、その意に反するときは受益を拒み得る——と考えられないこともないだろうが、むしろ「第三者のためにする契約」とは区別して、「債務引受」の一形態として概念する方がその特質にふさわしいであろう。但し、所論のように債務免脱と債権取得との差別に根拠を求めることは、形式的に過ぎるであろう）。また、学説によれば、従来の債務者と引受人との間で免責的債務引受の契約をすることも、債権者の承認ないし同意を条件としてなすことができるが（四宮・前掲総合判例一〇頁以下、我妻・新訂債権総論五六八—九頁）、これは——旧債務者に対する債権の喪失を伴うのだから——第三者のためにする契約の一種とみるべきではないとされる（我妻・債権各論（上）一一九—一二〇頁）。正当な見解であろう（この場合の債権者の承認ないし同意は、かかる債務引受によつて債務者の責任財産が変換されることの許容の意味を含むもので、第三者のためにする契約における受益の意思表示とは性質を異にする）。

(9)　以上は類型的把握の容易な契約について述べたが、個々的な場合については、要約者の出捐の有無・当該契約の目的ないし契約当事者の意思・取引慣行・要約者が自ら諾約者の義務の履行を督することの難易・契約当事者および第三者の間の衡平等をそれぞれの場合に応じ適宜に考量して、第三者が権利を取得するか否かを定むべきであろう（独民三二八Ⅱ参照。もつともわが国の判例には明白な理論づけはほとんど見られないようである）。因みに、右のうち、要約者の出捐については、既述のように、それがあるときは原則として第三者に権利を生ずるものと認めてよいだろうが、それは第三者の権利取得のための絶対的必要条件ではないし（例えば一二一三頁参照）、また十分条件だともいえない（本屋で本を買いクリスマスの贈物として親しい婦人に届けさせる場合など、むしろ反対に、原則としてその婦人は請求権を持つものでないと見るのが相当であろう。但し、Enneccerus-Lehmann, §34, I は反対）、と考えられる。

なお、第三者のためにする契約とみる以外に明確な法律構成が可能な場合は、それによるべきはいうまでもなく、便宜的に無反省に「第三者のためにする契約」概念を拡張することは戒められなければならない。

(イ)　第三者を建物から退去させる前にその第三者に対し居住に適当な家屋を提供することを両当事者が和解契約において約束したときは、この契約は第三者のためにする契約である。

【15】「Yカ原審ニ於テX対A、B間ノ和解契約ニ依リXハYヲ本件ノ建物ヨリ退去セシムル前ニYノ居住スルニ適当ナル家屋ヲYニ提供スヘキコトヲ約束シタル事実ヲ陳述シ其契約上ノ効力ニ依リXノ本件建物ノ明渡請求ヲ拒否シ得ル旨主張シタルコトハ……明ナリ而シテ右主張事実ニ依レハ其和解契約ハ第三者タルYノ利益ノ為メニ締結セラレタルモノニシテ且ツYハ其契約上ノ債務者タルXニ対シ利益享受ノ意思ヲ表示シタルモノト解シ得ルヲ以テYハ民法第五百三十七条ニ依リ契約上ノ権利ヲ主張シテ本件ノ請求ヲ拒否シ得ルモノト謂フヘク……」(大判大九・一二・一七新聞一八二五・二三)。

事案の詳細が不明であるし、また判旨が第三者のためにする契約であることを肯定する理由づけは曖昧である。併し、判旨は恐らく正当であろう。蓋し、Xをして和解契約の趣旨を遵守させるためには直接の受益者たるYにも権利を取得せしめてこれを自らXに対し主張せしめることが最も効果的であるが、更に、本件契約が和解契約たる以上、要約者たるA、Bは諾約者たるXに対し出捐をしておると認めてよく、Yに対する利益の供与はこの出捐に基づいて約束されていると考えられるので、この場合Yの受益を権利として把握してもXにとつて不公平とはいえないのであり、当事者の意思もここにあつたとしても無理ではあるまいからである。そして、この結論は借家人保護の見地からも首肯されよう(本件は借家法制定以前のものである。なお、はじめにYが本件建物に入居したのが賃貸借に基づいたのか使用貸借に因つたのか不明であるが、もし後者であるとしても、上記の理にはかわりないとみてよいであろう)。

因みに、判例の中には、土地賃貸人と賃借人との間において土地賃貸借契約を合意解除しても、土地賃貸人は、特別の事情がない限り、その効果を地上建物の賃借人に対抗できない、ということの理由づけに、民法五三八条をもあげるものがある(最判昭三八・二・二一民集一七・一・二二一(瀬戸・法曹時報一五巻四号九三頁解説、広瀬・判時三七号六一頁評釈、水本・民商四九巻四号五七九頁評釈)、福岡高判昭三八・九・一八ジュリスト二八七号判例カード五六五)。その結果はもとより正当なのだが、この場合に第三者のためにする契約を云為することは、必要でもないし、適当でもないであろう。

(ロ)　村民相互間において、民有地が官民地境界査定の結果増歩を生じたときはこれを村に贈与すべき旨契約した場合には、村の受益の意思表示により村民は増歩地を村に移転する義務がある、とする判例がある。

【16】「Y其他X村ノ村民ハ官有地境界ノ査定カ当該官署ニヨリ為サルレハ官有地ニ接続セル民有地ニハ多少ノ増歩ヲ見ルヘキ見込アルトコロヨリシテ増歩地ヲX村ノ所有ニ移シテ村ノ基本財産ト為サン為メ明治二十四年中相約束シテ各自ノ従来ノ所有地カ官有地境界査定ノ結果増歩ヲ生シタル場合ニハ之ヲX村ニ贈与スヘキ旨ノX村ノ為メニスル契約ヲ為シタルコトヲ認メ得ヘク而シテ明治四十二年中官民地境界査定アリタル結果Y所有ノX村字○○××番山林一反五畝歩ノ地先ニ当リ四町七反三畝二十六歩（実測四町五反七畝十歩）ノ増歩ノ生シタルコトハ……之ヲ認ムルヲ得ヘク而シテ大正二年八月二日X村カYニ対シ前掲X村ノ為

ニセル贈与契約ニ付キ利益享受ノ意思表示ヲ為シタルコトハ……明カナルヲ以テYハX村ノ請求ニ応シ右増歩地ヲX村ニ移転スヘキ義務アリト云ハサルヘカラス」（東京控判大六・四・四新聞一二七七・二七、同旨、同大七・八・九新聞一四六四・二一）。

本件は入会地に関するもので、事実関係は微妙なものがあると思われるが、分明でない。判旨の事実認定を正当なものとしても、これを是非とも第三者のためにする契約として構成せねばならなかつたものかどうか、速断はできない。併し、そのような構成も可能であり、また、そのようにしてX村の権利を認める方が事案の解決には効果的であつたろうということは想像し得る。けだし、この場合村への出捐については村民各自が相互に要約者・諾約者となつて出捐をし合つているのだとみれば（更に突つ込んでみれば、村民各自の出捐により形成される村の基本財産は、実質的に村民各自の利益となる意味をも持つているので、或る村民の村への出捐は同時に他の村民への出捐とも見ることができ、従つて一村民は他の一村民に対し相手方の自己に対する出捐に基づいて諾約しているとも考え得る）、受益者たる村をして権利を主張せしめても不当ではないし、また事柄の性質上、単に村民相互に約旨の実現を促し合うのは——村民相互間の同時履行の抗弁は恐らく許されないだろうとはいえ——力に乏しく、村の方からも村民に履行を求め得るとすることが効果的であると思われるからである。なお問題の土地が入会地であつたということも右の結論を正当化するであろうか（因みに、本件の契約について書面が作成されたか否かは不明だが、仮に口約であつたとしても、その集団的締結の経緯から察すれば、民五五〇は適用ないと考えてよいであろう）。

右にやや類似するものだが、会社の重役等が会社の運転資金を充足し窮境を打開するため各自無利息で会社に金員を（金額は各自必ずしも同一ではない）貸与すべき旨相互に約した場合、会社はこれらの者に対し貸付の実行を要求し得るとする判例（大阪控判昭五・一・二九新聞三〇九六・一四）も正当であろう。この場合、各自は相互に相手方の出捐に基づいて諾約しているとみられるし、会社が返済の義務を負うという点は会社がこれを是認する以上（当時の商一六九（「会社ノ業務執行ハ定款ニ別段ノ定ナキトキハ取締役ノ過半数ヲ以テ之ヲ決ス」）、一七六（「取締役ハ監査役ノ承認ヲ得タルトキニ限リ自己又ハ第三者ノ為メニ会社ト取引ヲ為スコトヲ得」）所定の条件はこの場合実質上充足されていたであろう）第三者のためにする契約の成立を妨げる理由とはならないし、更に、単に契約当事者各自互いに約旨の実現を促し合うのみでなく、会社の側よりも請求をなさしめることが合目的的であり、締約者相互の約旨もそこにあつたとすべきであろう。

（ハ）　住職A死亡のとき、その地位を継ぐべきXが未成年だつたので、親戚総代とYとの間で「Xが成年に達したらYは速かに引退する」との約束を取りかわし、右約束のもとにYが住職に就任した場合には、Xは右契約の当事者ではないが、第三者のためにする契約に準じて、成年に達した後受益の意思表示をすれば、Yに対して住職の地位の引退を求めることができる（名古屋地判昭二五・七・二七下級民集一・七・一一五三）。判旨正当であろう。けだし、事案は複雑だが、その要点を略言すれば、Yを暫定住職に任ずることにより要約者等はYに利益を与え（これを、出捐に準ずるものと考えてよいであろう）、Yはこれに対する負担の意味で諾約をしたとみられるし、また契約の趣旨を実現するためには受益者たるXに権利を与え自らこれを行使せしめることが最も効果的であり（なお、締約後多年の間に要約者等の死亡、病臥、転居等の事実が発生し、要約者等がYに迫つて約旨を行なわしめることが十分期待できなくなるおそれのあることも考えられる）、他方Xの権利を認めてもそのためにYに不利益を生ずるとは考えられないからである。

（ニ）　株主が会社の使用人を辞任しまたは死亡した場合に会社から持株譲渡の請求があつたときは会社代表者の指定する者にいささかの異議もなく株式を譲渡するという契約は、直接株式の譲渡を請求しうる債権を第三者に享受させる約旨に過ぎず、第三者の一方的意思表示だけでは株主の権利は移転しない、という判例がある（名古屋地判大一五・六・三〇新聞二六〇三・六）。

本件は、Y会社を退職したXがYに預託していた株券および未交付の株券の引渡を求めたのに対し、Yがこれを拒み、会社に指定されたAが約旨に基づきXに対し株式の譲受の意思表示をしたことによつてXは既に株主でなくなつたのだから、引渡の請求はなしえない、と主張したものであるが、判旨は、Xは第三者に対して株式の譲渡をなすべき債務を負担したに過ぎないのだから、その債務を履行するまでは自己の有する株主権を喪失しないはずであり、従つてY会社から指定されたAはその一方的意思表示だけでは本件株式の譲渡を受けたことにはならない、といつてXの請求を認めている。思うに、本件の場合、株式の譲渡対価はあらかじめ約定されており（その決定方法も概して妥当といつてよいであろう）、また契約当事者は会社の使用人が株主たりうるのは使用人たる身分に基づく特別の恩典であると認めてこの株式譲渡契約を結んだのだから、会社は使用人を株主たらしめることによつて利益を与え（これを、出捐に準ずるものとみてよいであろう）、その条件ないし負担の意味で本件株式譲渡契約が結ばれたともみられるわけであり、従つて本件におけるXはAに対しても義務を負つていると解するのが相当であろう。しかし、このXの義務の態容は、（I）XをしてAの株式譲受の申込に応ずべき債務を負わしめるものと、（II）XをしてAに対し株式譲渡の一方の予約者たらしめ、Aの申込があれば直ちに譲渡が成立するとするものとの二つが考えられる（判旨のように一がいに（II）を否定する必要はない）。そのいずれであるかは契約当事者の意思の解釈の問題で、甚だむずかしいのだが、普通には(I)であると割切る外ないのではあるまいか（なお実質的には、本件の場合に、Xの明示の意思表示なくして(II)の型の契約の成立を認めるならば、不当にXの利益が害されることがないとはいえない、ということも考えられよう）。因みに、当時においては株式の譲渡制限が許されていたのだから（商法旧規定一四九条。なお、鈴木―石井・改正株式会社法解説七九―八二頁、大隅―大森・逐条改正会社法解説一一七頁参照）、本件の契約はなんら違法なものではなかつたであろう。

（ホ）　労使間の協定の法的性質ないし効力に関するものとして、米駐留車に労務を提供するため日本国に雇用せられた労務者の組合（支部組合）が、所轄の渉外労務管理事務所長との間に、解雇の予告をなす場合は組合と協議する旨の協定を結んでこれを書面化し、更に団体交渉の過程において、次回の団体交渉の日取を約定し、それまでは解雇予告をせず、また解雇予告は相互協議決定してなす旨を約したに拘らず、組合員の一部に対し解雇予告をされたので、右予告を受けた者の一部が、予告の効力停止の仮処分を申請したのに対し、次のような要旨の理由でこれを却下した決定がある。

(1)　協定成立後、相手方の協定文書化の要求に基き、一方当事者が労使間の一致した合意を記載した回答書を作成し相手方に交付した場合、右回答書が発信文書の形式をとつた一方当事者の作成名義にかかるものである以上、その欄外に相手方当事者が記名捺印を施したとしても、右文書は、労働協約の効力発生要件たる書面ということはできない。

(2)　一般に団体交渉の過程において成立した「何月何日の団体交渉までは解雇予告を行わない。解雇予告は協議決定してなす」旨の労使間の合意は、組合員と使用者間において直接権利義務を設定しようとする趣旨の契約、従つて第三者のためにする契約とは解しえないし、また右団体交渉の日以後における解雇権の行使を限定したものとも認められないから、右合意に反する解雇を当然無効とすることはできない（東京地決昭三一・四・一八労民集七・二・二三七）。判旨に賛成できない。私は、本件の二つの協定はいずれも労働協約として有効であり、もし使用者がこれに違反して解雇予告をなせば、当該の労働者はその無効を主張しうるはずであるから、本件の場合使用者側の解雇予告が実質的に協定違反にあたるか否かを論ずるのが正道であろうと思う。

まず判旨第一点について考えるに、労働協約の法的性質を如何に解するか、文書化されない労使間の協定を法的にどのように捉えるかについては種々の見解があり（要約的な叙述として例えば、石井・労働法一五五頁以下、後藤「協約理論」労働法講座四巻八二一頁以下、横井「労働協約の成立」労働法大系２一二一頁以下参照）、殊に判例は労組法一四条を極めて厳格に解し、書面化されない労使間協定はなんら法的効力を持たないとするに一致しているようであるが、私は、労働協約は、労使がその自主的協定により自らの関係を規整する法規範を設定しうるという白地慣習法の産物であるとし、且つ労組法一四条の要件を欠く協定は、単に労組法所定の特別の効力（労組一七・一八参照）を有しないだけで、労働協約の法規範としての本来の効力に欠くるところはなく、たかだか証拠方法の問題を含むに過ぎないのだとする見解（石井・一五六頁、一五九頁）が正当であると思うので、本件のように合意の存在につき協定当事者間に異議のない場合は、かかる協定に——書面化の有無にかかわりなく——法規範たる効力を認むべきは自明であろうと思う。まして、本件の場合、使用者側の発信文書という形式をとってはいるが責任者たる労管事務所長の記名押印はあるものと考えられ（このような重要な個別的文書につき記名押印がないとは考えられない）、それに対し組合長が記名押印を加えたというのだから、いささか異態ではあるが労組法一四条の要件に欠くるところはないと思う（窪田・月刊労働問題一九五八年一〇月号七四頁下段は——明確ではないが——同旨のようにも思われる）。殊に、本件においては、文書の作成によつて不利益を被るのは使用者側だけなのだから、その当務者において書面化ならびに記名押印をした以上、問題は既に実質上解決されているというべきであろう。

以上によれば、判旨第二点についても結論は既に明らかであろう。すなわち、文書化されない・解雇に関する合意といえども、労働協約としての基本的効力に欠くるところはないというべきである。従つて、本件における合意が第三者のためにする契約であるか否かを論ずる必要は最初からありえないし、しかも、かかる合意を第三者のためにする契約として把握するのは——被用者保護の意図は正当としても——論理的に妥当といえない。けだし、かかる合意の一方当事者たる組合と受益者たる組合員との関係は、第三者的というよりはむしろ実質的同一性の面が強いのであるし、またかかる合意の所期する法律効果は——次に述べるように——第三者のためにする契約の概念を超える強力なものであるからである（判旨も「第三者のためにする契約」ではないと云つているが、その理由づけは卑見といわば正反対である）。

それでは、本件におけるような解雇協議に関する合意は如何なる効力を有するか。これについても種々の考え方があるが（例えば、高島「解雇同意条項」労働法大系２二〇五頁以下参照）、私は、それは集団的労働関係を適用の場としつつ解雇という個別的労働契約の処理についての強行法的な要請を定めたものであり、従つてこの合意に反してなされた解雇は無効であるという説（石井・一六三—四頁）によりたい（もつとも、このような条項の存在にもかかわらず、企業の維持存続のため解雇もやむをえないという極めて特別の事情の存するときは、使用者の解雇権は制限されないであろう。或いは、このような場合は、協議権の濫用は許されないといつてもよいであろう）。従つて、問題は、本件の解雇予告が実質的に前掲の二つの協定に違反してなされたか否かに帰着し、もし実質的違反があるならば、当該被用者は解雇予告の無効を主張しうる理である。

以上によってみると、本件の場合、裁判所としては、むしろ既述のような形式論理に頼ることなく、この決定が右論旨に続いて説示している事項(判例集二四一頁以下)、即ち、駐留軍労務者は被申請人(日本国)に雇用されてはいるが、その現実の使用者は米軍であるという異常な雇用関係にあるため、被申請人として解雇の避止ないし解雇の必要性の解明に努力し得る範囲に限界の存するのはやむをえなかったこと、被申請人側としてはかかる特殊事情を含む当時の実情に処してなすべき努力を十分につくしたと見得るので、実質上右両個の協定に背いたとはいえない(或いは、かかる変則的な事情のもとにおいて組合がこれ以上に協議を強いるのは、被申請人との関係では権利の濫用となる)ということを正面から決定の理由として示すべきであったと思う。

因みに、独・仏においては古くは労働協約には第三者のためにする契約も内含されているとする学説ないし判例があったし(Zimmermann, Gutachten über die Regelung des Arbeitstarifgesetzes zum 20. Deutschen Juristentag, S. 206. 石崎・フランスの労働協約法二二二頁、二七二頁、Colin et Capitant, t. 2, N°227)、米国においても右に類する考え方が学説上も判例上も比較的近年までかなり有力であったとのことであるが(佐藤(進)・アメリカ労働協約の研究七六頁、Gregory, Labor and the law, pp. 383-4; Teller, The law governing labor disputes and collective bargaining, vol. 1, §168)、これに関連し、再雇用約款については、ドイツの判例にこれを第三者のためにする契約とみるものがあるといわれ(Enneccerus-Lehmann, II. Band, §35, I, 1)、他方わが国ではこれをそのようにみる判例(松江地判昭二七・六・六労民集三・二・一六八―九…柳川(真)ほか四名・全訂判例労働法の研究(上)二四七頁は判旨賛)と、反対の判例(東京地判昭三四・六・四労民集一〇・三・四四一)とが認められる。思うに、再雇用約款のもつ実質的意味はそれぞれの場合の実情に応じニュアンスがあるべきで、一概に割切り得ないではあろうが、原則としては使用者の被用者自身に対する再雇用の義務をも認むべきものではあるまいか。そして、その理由づけは次のようになされるべきではあるまいか。即ち、再雇用約款の法的性格ないし効力についても、特別の事情のない限り、既述の解雇協議約款に準じて考え、これに法規範的効力を認めるべきであり、第三者のためにする契約とするのは当らない、というふうに。もつとも、再雇用約款の受益者が労組法一七条の適用を受けえない非組合員である場合には（そのようなことは、実際上少ないではあろうが）、事情により、第三者のためにする契約と考えてよい場合もあり得るであろう（因みに、片岡「労働協約の人事条項」総合判例労働法(4)一一〇頁は、再雇用約款は使用者の人事権の行使に対し制度上の強制を課するものだとの見地から、これに規範的効力を認めている）。

（ヘ）　請負人の債権者(乙)が請負人(甲)との間に、債権担保の目的で、乙が注文者(丙)から直接に工事代金を受領して債権に充当することを契約し、丙がこれを了承したという場合の法律関係を、乙の受益の意思表示の下に第三者乙のためにする甲・丙間の契約であると解し、ただこの場合は、通常の場合と異なり、第三者の受益の意思表示が時間的に該契約の成立よりも先行したに過ぎないのだ、とする判例がある（神戸地竜野支判昭三六・一一・六下級民集一二・一一・二六五九）。事案は、注文者丙が請負契約を解除したため、その後の工事に対する代金を取り立て得ないこととなつてしまつたので、債権の回収に困却した乙が、丙の解除は故意に担保を失わせた不法行為であるとして損害賠償を請求したものである。被告丙は、代金を直接乙に支払うことを承諾したからといつて、本来の請負契約を正当の理由で解除する権利が制限されるいわれはない、と争つた。判旨は、解除は注文者丙の請負人甲に対する抗弁であつて、受益者たる第三者乙に対抗することができる（民五三九）として、被告の主張を容れ、原告乙の請求を棄却した。

原告を負かしたことは結果的には正当である。しかし、本件のごとき代金受領の代理権の授権契約における代理人（前述の乙）の地位は、正に契約の当事者なのであつて、これを契約の第三者として把握するのは技巧的に過ぎよう。本件裁判所が代理人の保護のために払つた苦心は諒とされるが、第三者のためにする契約であると構成して、丙に対する支払請求権そのものが既に乙に属している（従って、甲の別な債権者丁が、甲の丙に対する代金債権ありとして、これを差押えても無駄だ、ということになる）と解することは、甲・乙・丙三者間の合意の範囲を超えるものであろう。このような不自然な構成をしなくても、当事者間の意思や目的を当事者間だけで最大限に実現させるよう率直に契約解釈をしてゆけば、大体において代理人乙の利益は守られ得るであろう。そして、このような解釈方法によるときは、注文者丙が請負人甲の責に帰すべき理由により請負契約の解除をなし、これを以て甲の代理人たる乙に対抗し得ることは当然であるから、少なくも本件での問題に関する限り、第三者のためにする契約を持出すまでもなかつたのである。

もつとも本件の場合に、もし甲が丙との請負契約に附随して、その工事代金を直接丙より乙に支払うべき旨特約したとすれば、それは正に甲を要約者、丙を諾約者とする・第三者のためにする契約であり、乙は丙に対する受益の意思表示によつて丙に対する支払請求権（但し、甲の工事遂行を条件とする）を取得するわけで、乙の保護には有利だが（安武・前掲銀行取引の法律実務三三〇頁参照。但し、この場合も、丙が正当理由による解除を以て乙に対抗しうることはいうまでもない）、このような特約は現実には殆どあり得ないであろう。

因みに、融資金回収のためにする・代金受領の代理権の授権に関する契約については 訴訟問題となつた例が多い。そして、判例の多くは、この種の契約の存する場合にも第三債務者(丙)は債務者(前述の甲)に代金を支払うことを許されると解するのに対し、少数の判決はこれを否定しているが(これらの大要については、堀内・金融法務二四九号一頁、安武・前掲書三二六頁以下参照)、後者が正当である。金融実務家・法曹・学者の中には個人的見解として後者の線にそう主張をするものが多いようである(小山・銀行取引法入門一四〇頁、長谷部・金融法務二五八号一三頁、坂部・貸付(銀行実務講座四巻)二五七頁、堀内・前掲二頁、浅沼・金融法務二七六号一五頁、川添・同一七号八頁、我妻・法学セミナー四七号一五頁など)。もつとも、三者間の法律関係を論ずるこれら諸説の間にも、細部については多少のニュアンスが認められないではないが、我妻教授の見解(冒頭記載のような場合に、乙が更に一歩を進めて、丙は代金を必ず乙に支払い、本人甲には支払わない旨の了解を丙から得ておけば、代金債権は元来甲が丙に対して有しているのだから、対外部関係においても代金の債権者は甲であるが、内部関係においては、甲はこれを自ら受領せざるべき義務を負い、他方丙としては、もし甲に支払つても、重ねて乙に支払わねばならぬことになる、という趣旨に解しうるという)は最も正当且つ簡明に主要点を道破しているように思われる。最後に、代理権の授権契約に関係する三当事者がその合意の内容を明確ならしめるようつとむべきは当然であるが、判例がかかる合意の表現の不足なのに拘泥して代理人たる融資債権者(前述の乙)の権利を不当に弱く解する傾向のあることは、首肯し難いところである。

(ト)　買物共通クーポン券による商品売買の法律関係につき、これは利用者(および通常は売主も)を第三者とする・民法五三七条にいわゆる第三者のためにする契約であり、第三者である利用者はクーポン券を使用したときに受益の意思表示をしたものと認むべきだ、とする見解がある(平峯「買物共通クーポン券による商品売買の法律関係」金融法務九八号六頁。因みに、これは大阪高裁昭三〇(ネ)八二六号昭三一・二・六(三民)判に対する解説として書かれたもの)。しかし、この種の契約につき第三者のためにする契約を引合に出すことは、必要でも適当でもないのではあるまいか。このような類型化された契約は、一種の無名契約としてその取引約款自体と取引の慣行とに応じた解釈をすれば、十分なのではあるまいか。

（二）　第三者に取得させる権利ないし利益について種類上の限定の存しないことは既に述べた（八頁以下参照）。

（三）　第三者に取得させる権利は単純なものに限られるか。

日本民法典の起草の際には、第三者のためにする契約によつて第三者に反対給付義務を伴う権利を取得させ得るかについて起草委員の間で意見がわかれ、担当起草者（富井博士）は消極説であつた（速記録二五巻三五・三八・四四丁。なお、梅委員は積極説であつた（四三―四丁））。しかし、今日の学説においては、第三者に取得させる権利は附随的な負担を伴うことを妨げない（もつとも、実質上は、単に附随的なものに止まらない純然たる「対価」を伴う場合をも許容するとみてよい）とするのが通説である（我妻・債権各論(上)一二〇頁、柚木・二一三頁、戒能・八一頁）。判例も明治以来この趣旨のものが多い（因みに、判例のうちには、第三者の権利が反対給付義務を伴うことを妨げないという理を民五三九によつて根拠づけるものがあるが（後掲【20】、東京控判明四四・三・一三（七〇頁参照）など。なお、梅・民法要義巻之三（三版）四三二頁、前掲速記録四三―四丁梅発言も同旨）、本条の担当起草者の見解は、民五三九は元来そのような意味のものではなく、諾約者の給付が第三者からの反対給付義務を伴うものである場合に、諾約者が第三者からの給付なきことをもつて抗弁となしうるのは、双務契約の当然の効果であり、民五三九に由来するものではない、というにあつた（前掲速記録四四丁富井発言参照））。

(1)　売買に関し右の理を説く判例としては次のようなものがある（【17】【18】【19】。なお【24】【25】はこの点には言及していないが、もとより同様の考え方に立つのであろう）。

【17】　設立中の会社Yのためにその発起人AがXに対し会社成立の暁には開業に直ちに必要となる物品を注文し、設立完了したY会社はその物品を直接Xから受取つたのに、Xの売掛代金の請求に応ぜず、却つて

(Ⅰ)契約当時Y会社は未だ存在しなかつたから、第三者のためにする契約は有効に成立しえなかつた(Ⅱ)民法五三七条は契約の原則に対する例外規定なのだから、極めて厳格に且つ狭義に解釈せねばならぬもので、本件のような反対給付のある場合には適用すべきでない。もし、反対給付のある場合に適用すると、実際上も不都合を生ずる、などの理由(上告理由)をあげて争った。大審院は(Ⅱ)の点につき、次のように判示した。

「民法第五百三十七条ハ当事者カ第三者ノ利益ノミノ為メニスル契約ノ場合ハ勿論第三者カ契約ヨリ生スル利益ヲ享受セントセハ自ラ反対給付ヲ為ササルヘカラサルカ如キ場合ヲモ亦併セテ規定シタル法条ナリト解スルヲ正当トス……。」またこのように解しても実際上の不都合は生じない(大判明三六・三・一〇民録九・二九九)。

判旨は抽象的には恐らく正当であろうが、本件におけるA・X間の契約を第三者のためにする契約と構成したのは妥当でない(七二頁以下参照)。因みに、株式会社の発起人が会社の設立のためになす行為は、設立中の会社の執行機関の行為として把握さるべきものだが、発起人が開業準備行為をまでなし得る権限を本来有するかについては従前から議論がわかれている(消極説をとる者が多い)。併し、開業準備行為たる財産引受については、昭和一三年の商法改正で厳重な条件付でこれを認める旨の規定が置かれたので、今日においては、本件におけるような財産引受に相当すべき行為は、設立中の会社の執行機関の行為と把握してよいであろう。

【18】 Yが、Xのために、Xが三百円の代金を提供してY所有の土地の移転を受け得るという契約をAと締結し、その契約に基いてXが三百円を提供し登記の履行を請求したのに対し、Yが、第三者のためにする契約により享受すべき第三者の権利は単純なることを要し、代金の支払を要する双務且有償契約上の地位を

取得せしめることは第三者のためにする契約として成立し得ないと抗弁

「民法第五百三十七条ノ第三者ノ為メニスル契約に於テ其契約ノ利益ヲ受クヘキ第三者ノ権利ハ必スシモ単純ナルコトヲ要スルモノニ非スシテ之ニ反対給付ノ伴フコトヲ妨クルモノニ非サルヲ以テ本論旨ハ理由ナシ」（大判大八・二・一民録二五・二四六、薬師寺・志林二一・一二二七判批）。

これについても、A・Y間の契約が果してXに権利をまで取得せしめる趣旨のものなのかどうかの点の判定に慎重を要する（一三頁以下参照）。

【19】 Xの先代Aは訴外Bに買戻特約付で土地を売渡し、Xはこの買戻権を相続したが、たまたまこの買戻期間の満了せんとする頃Xがハワイに出稼中だつたので、Xの親類の者達がBに懇請し、結局BとXの本家の戸主たるYとが契約し、既にXがBに支払つた内金を差引いた残額だけをYがBに支払つて一たんYが買戻をするが、他日Xが帰朝後該土地をYから譲り受けたいと申し出たらYは右差額分を対価としてXに所有権を移転するという条件で、YがBから該土地の所有権を取得した。Xは帰国後Yに約旨の履行を求めたが拒まれたので、起訴し、X勝訴。Yは控訴した。

「……第三者ノ為メニスル契約ナルモノハ債務者カ第三者ニ対シ無償ニテ給付ヲ為ス場合ニ限ルモノニ非ス第三者ヨリ反対給付ヲ得テ給付ヲ為ス可キ場合モ亦此種ノ契約ニ属ス但此場合ニ於テ第三者カ当然ニ反対給付ノ債務ヲ負担スルニ非サルハ勿論ナリ反対給付ヲ為スヘキコトヲ認諾シテ受益ノ意思表示ヲ為スコトニ因リ玆ニ初メテ第三者ト債務者間ニ互ニ給付ヲ為ス可キ債権債務ノ関係カ発生スルモノトス然ラハ即チ……YトB間ノ契約ハ即チ第三者ノ為メニスル契約ニ外ナラス……」そして、Xは帰朝後Yに対し対価と引換に所有権の移転を求め更に代金支払と引換に所有権移転登記を求める旨の本訴を起したのだから、X側の要件は十分で、Yがこれに応ずべきは当然だ（東京控判大九・七・八新聞一八三九・一八）。

判旨の正当なことはいうまでもないであろう。なお、判旨が、この種の場合には、第三者は当然に反対給付の債務を負担するのではなく、反対給付をなすべきことを認諾して受益の意思を表示したときにはじめて斯る負担付の権利を取得する、と云つているのも、もとより当を得たものであろう。因みに、学説は、受益の意思表示は一括してこれをなすべく、負担を拒絶して利益だけを享受することはできないとする（我妻・債権各論(上)一二〇頁、柚木・二一三頁、戒能・八一頁）。

付言するに、本件【19】の場合は、必ずしも第三者のためにする契約の理論によらなくとも、事務管理者の義務としてＹの移転登記の履行等を義務づけることも可能なのではあるまいか（民七〇一・六四六）。

(2)　古い下級審の判例には――売買が賃貸借を破る場合における――宅地の賃貸借の承継についても前記の理を認めるものがある（【20】）。

【20】　Ｙは訴外Ｍ銀行からその所有地（宅地）の一部を借りその上に家屋を建てていたが、Ｍが該所有地をＸに売り、その際ＭとＸとは、従来のＹ賃借の部分についてＸが従来のＭ・Ｙ間の賃貸借と同一条件でＹに貸す旨の契約をした。ところが、Ｙが受益の意思表示をしたのに、Ｘはこれを拒み、不法占有を理由に土地明渡請求の訴を起した。裁判所は次の如く、Ｘの主張を拒み、棄却。

民法五三七条は単独行為のみならず契約の場合にも適用がある。「殊ニ又第三者カ債務者ニ対シ反対給付ヲナシテ利益ヲ享受スルコトヲ得ルカ如キ場合（例ヘハ売買ノ如キ）ト雖モ本条第一項ニ依リ契約スルコトヲ妨ケサルハ民法第五百三十九条ノ規定ニ対照スルモ之ヲ推知スルニ難カラサレハナリ……第三者ハ債務者ニ対シテ契約上ノ利益ヲ享受スル意思ヲ表示スルト同時ニ同条〔五三七条…筆者〕第二項ノ規定ニ依リテ当然其権利ヲ取得スルモノト論断スルヲ相当トスヘシ何トナレハ……若シ新ニ第三者ト債務者トノ間ニ契約ヲナスニアラサレハ権利関係カ発生セサルモノナランニハ特ニ本条ヲ設クル必要ナケレハナリ果シテ然ラハ当事者ノ一方カ第三者ニ対シ或物ヲ賃貸スヘキ旨ヲ契約スルコトヲ得ヘキハ勿論ニシテ第三者カ其契約ノ利益ヲ享受スル意思ヲ表示スルニ依リテ当然賃貸借権ヲ取得スヘキモノト云ハサルヘカラサルヲ以テ……」(東京地判明三九・四・一二新聞三五三・八)。

なお、東京控判明四四・三・一三(新聞七二五・一九)も民法五三九条を根拠にほぼ同様の趣旨を説いている(もっとも、同様の事案について、東京地判明四〇・五・一新聞四三一・二〇、東京地判明四一・六・一九新聞五〇八・二一および池田「不動産ノ訴訟ニ関スル三問題」法協二五巻八一五頁は右と反対の趣旨を説示する)。

右の下級審判例が、賃貸人と取得者との間の賃貸借を維持すべき旨の契約を、賃借人のために有効なものと認めたことは、正当であろうが、賃貸借関係の承継は、賃貸借契約から生じた個々の債権・債務のみならず契約当事者たる地位自体をも含めて包括的に移転させるものであるから、いわゆる契約引受(Vertragsübernahme)として把握する方がふさわしいであろう(なお、反対の二判例および学説は、その結果においても、理論においても、不当であること、いうまでもあるまい)。現に大審院の諸判例は、「権利義務ヲ包括的ニ承継セシム」、「賃貸人ノ地位ニ代ラシム」、「賃貸人ノ地位ヲ一括シテ……譲渡ス」等の表現を用い、「第三者のためにする契約」を言ってはいない(大判大四・四・二四民録二一・五八〇、大判大六・一二・一九民録二三・二一五五、大判昭一二・五・七民集一六・五四四(判民三八事件内田)、大判昭九・二・二七新聞三七一六・五—四宮・前掲総合判例民法(14)七四頁以下にこれらの判例の分析がある。因みに、かかる地位の承継に賃借人の承諾を要するか否かについて判例はわかれているが、賃貸人と譲受人との契約だけで、その地位の譲渡ができ、もし賃借人がこれを欲しないときは、異議を述べて、承継された賃貸借関係の拘束を免れ得る、と解するのが妥当であろう(我妻・債権各論(中一)四四八頁参照))。もっとも、学説においては、これを「履行の引受が第三者のためにする契約と結合して併存的債務引受を伴う場合」(四八頁以下参照)として把握するもの(末川・前掲特殊問題第二巻一二三—四頁)やそのような把握の仕方も可能だとするらしいもの（我妻・新訂債権総論五七五頁、五八〇頁）もある。

（四）　第三者は、必ずしも契約当時に現存することを要しない。例えば、将来再興出現すべき宗教団体のためにする契約（最判昭三七・六・二六民集一六・七・一三九七）や胎児のための契約も有効である（なお、類似のものとして、後掲東京控判大三・四・三〇（八三頁参照）は将来成立すべき法人のためにする寄付契約を第三者のためにする契約として有効と認める。しかし、この種の場合、成立した法人が寄付を請求する権利をまで有するかは疑問があり得るであろう）。また、契約締結の時には特定していなくとも、特定し得るものであればよい（【21】）。尤も、受益の意思表示をなすべき時には、現存し（権利能力を有し）特定することを要するのは勿論である（我妻・債権各論（上）一二〇頁。その他鳩山、末弘、柚木等みな同旨。因みに、リステイトメント一三九条も同様の趣旨をいう）。なお、判例は株式会社の発起人が開業準備のために締結した契約も第三者のためにする契約として有効だとし（【22】）、学説も一般にこれを認めるが、その当否は疑問である（次頁以下）。

【21】　一定の絶家の再興者のためにする贈与契約は、契約当時再興者が未確定であつても有効だと判示する。

「民法第五百三十七条第一項ニ規定スル契約ニ於ケル第三者ハ必スシモ契約当時既ニ現存セルモノタルヲ要セス将来出現スヘシト予期シタル者ヲ以テ第三者ト為シタルカ如キ場合ニ於テモ其契約ハ同条ニ於ケル第三者ノ為メニスル契約タルヲ失ハス此場合ニ於テハ第三者ノ出現ト受益ノ意思表示トノ法律条件ノ下ニ契約ハ有効ニ成立シ唯条件ノ成立スル迄ハ其効力ヲ発生セサルノミ故ニ契約ニ依リ利益ヲ受クヘキ者カ廃家ヲ再興スヘキモノナル場合ニ於テ契約当時再興者カ未タ確定セサリシノ故ヲ以テ其契約カ民法第五百三十七条第一項ノ契約ニ該当セサルモノト論スルハ当ラス」（大判大七・一一・五民録二四・二一三一、鳩山・民法研究四巻一六四頁判批）。

【22】　前掲【17】におけるY会社の上告理由（Ⅰ）につき大審院はつぎのように判示した。

「第三者ノ為メニスル契約モ亦一ノ契約ナルカ故ニ自己ノ為メニスル契約ト同シク之ニ因テ生スル債務ニ期限若クハ条件ヲ附着セシメ得ルモノトス而シテ他日成立スヘキ会社ノ為メニ締結スル契約ハ則チ其会社ノ成立ヲ条件ト為シタル契約ニ外ナラスシテ斯カル場合ニハ其利益ヲ享受スヘキ第三者ハ其契約当時必ラス現存スルヲ要スルモノニアラス今原判決ヲ閲スルニ其理由中『証人AハY会社ノ発起人タル関係ヨリ会社成立ノ上開業上直ニ其必要ヲ感スル係争物件ヲ其成立ノ上総テ会社ノ利益ニ帰セシムルノ意思ニテ近キ将来ニ成立スヘキY会社ノ為メ』云々トノ文詞アルニ徴スレハ原院ハXト訴外A間ニ於テY会社ノ成立ヲ条件トシY会社ノ為メニ本訴契約ヲ締結シタルモノト判定シタルモノナルコト明瞭ナレハ本上告論旨ハ理由ナシ」（大判明三六・三・一〇民録九・二九九）。

(1)　右の【21】については、事案が十分明瞭でないが、当該の契約の性質にかんがみ、第三者が権利を取得するとするのが合目的的であろうから、判旨は是認される（特に、締結後長年月の間に契約の関係者等が死亡し、ないし遠隔地へ転居するなどの変動のあるべきことを考えると、受益者自らをしてその利益を権利として主張せしめることが効果的であろうから）。

(2)　【22】において、大審院がA・X間の契約を第三者のためにする契約として有効と認めたのは正当であろうか。

本件におけるAの行為はいわゆる財産引受に相当する開業準備行為である。これに対し何故に第三者のためにする契約という構成がとられたのか、判然しない。しかし、仮に当時の立場においてその思考過程を臆測してみると、おそらく――商法（当時の）の解釈論としては財産引受は許されないとせざるをえない以上（ドイツ商法にならつて現物出資に関する商法一二二条四号の規定を設けた当時のわが商法が、財産引受に関する規定を輸入しなかつたのは、財産引受を認めない趣旨と解せられる。従つて、立法論としての当否は別とし、解釈論としては、財産引受の効力を否定する外はない）、何とか他の論理構成をせねばならぬが、無権代理の追認とか事務管理とかいう構成には難がある（会社設立の第三者対抗要件たる設立登記のなされる以前に開業準備に著手することを禁ずる商法四六条の規定があるからには尚更である）ので、結局、第三者のためになされた物品売買契約につき成立したY会社が受益の意思表示をした、と構成する外はない——と考えたのであろう。しかし、財産引受は許されないという前提に立ちながら、これを第三者のためにする契約と構成することによつて許容しようとはかるのは、自己矛盾というほかはない。のみならず、かかる構成は、事態をもっぱら個人法的にみるもので（この立場では、せいぜいY会社の受益の意思表示につき会社内部の意思決定手続がとられさえすればよい、ということになる（無権代理の追認や事務管理とみる立場においても同様になるであろう））、財産引受が会社及び株主に対してはもとより、会社債権者にも影響を及ぼすべき重大な行為であり、従つてもしこれを許容するとすれば、一般に厳重な条件の伴うことが不可決とされざるをえないという事理を失念したものと批難されても仕方ないであろう（昭和一三年商法改正前において財産引受を認めた判決は、その都度学者により論難された。大判大四・一二・二二民録二一・二一五二、大決大一三・二・一五刑集三・一一二、松本・法協三四巻一〇五九頁判批、竹田・京法一一巻一〇三九頁判批、山尾・判民大正一三年度一七事件、参照。もつとも、当時においても、会社設立の経済的要求に合するごとく、設立費用を広義に解して財産取得費をもこれに含ませることとし、もつて発起人のなした財産取得契約の会社に対する効力を認むべきだ、とする学説もないではなかつたが（竹井・民商三巻一〇五頁以下）、これは極めて例外に属したようである）。

かくて、本件におけるように、発起人が設立事務の範囲を逸脱してなした行為から生じた法律関係は、創立総会の承認、会社の追認等如何なる方法によつても、また如何なる論理の技巧を用いても、直接には会社にその効力を生ずる途はない、と解するのが——当時としては——穏当であつたとする外ないであろう。併しながら、このような結論が、本件のような場合に（本件で問題のレッテル紙看板および紙箱等は、明らかではないが、Y会社の財産構成上重要部分を占めるほどのものではなかつたであろう）果して具体的妥当性を持ち得たかについては、疑問の存すること勿論である。結局、現実の必要に応ずべき適切な立法の備わらなかった当時としては、しょせん十分に満足しうるような解決法は存しなかった、という平凡な事理に帰著するわけである。

因みに、財産引受に関する判例については、今井「変態設立事項」総合判例商法(2)一一〇頁以下に詳細であるが、最近のものとして、東京地判昭三七・三・二二（下級民集一三・三・五一八、この評釈＝小町谷・商判研ジュリスト三一三号一四四頁）、その控訴審たる東京高判昭三七・一〇・一二（下級民集一三・一〇・二〇四二）ならびにその本案判決たる東京地判昭三八・三・一九（判時三三二号二七頁、この評釈＝大原・判時三四〇号七二頁）は、会社設立者たる甲と乙とが、同人等が発起人となる以前に、甲の所有地を会社に賃貸する旨の契約を締結したところ、甲が約旨を履行しないので、乙が甲に対し会社への土地引渡を求めて互に争い、そのため右契約が第三者のためにする契約ないし財産引受に当るか否か論争された興味ある事件である。ここで詳細に立入るいとまはないので当面の問題についてのみ言えば、所論の契約が甲・乙が発起人となる以前に結ばれたということの故に、これを「第三者のためにする契約」概念で論じようとするような考え方は、現行商法が現物出資・財産引受・事後設立等について厳重な規制を加えている趣旨から推すとき、発想自体において個人法的に失し、妥当でないであろう――この点に関連し、東京高判昭三七・一・二七（下級民集一三・一・九五。その評釈として今井・商事法務三二三号一四頁）を参照せよ。

四　第三者の地位

一　第三者の権利の発生要件

（一）第三者の権利は、彼が諾約者に対して契約の利益を享受する意思を表示したときに発生することは、民法五三七条二項の示すとおりである。尤も、この条項が何を意味するかについては争があり、第三者の受益の意思表示は契約の効力発生要件だとする見解もあるが、これを第三者の権利の発生要件なりとするのが通説である（【26】【27】等参照）。

そして、この意思表示は一般のものと異なるものではない。黙示の意思表示でもよい。例えば、「第三者丙が要約者甲を代理して丙（すなわち、自分）のためにする契約を諾約者乙と締結したときは、特別の事情のない限り丙は少なくとも黙示的に受益の意思表示をしたものと認めるのが相当である」（後掲【24】。もっとも、この事件の場合第三者のためにする契約と考えること自体に問題がないわけではない（八一頁参照））。また、履行の請求の中にも受益の意思表示の認められるべき場合があろう。例えば、「親族会がその決議を以て未成年者のために特別代理人を選任し、これに訴訟提起の権限を授与し、第三者のためにする契約の履行を請求させるのは、その前提たる・未成年者が利益享受の意思表示をなすべき代理権の授与をも包含するものと解すべきである（判旨要約）」（大判大八・三・一二民録二五・四八一。なお、前掲、長崎控判昭三・四・一四（一一頁参照）も、受益者たる第三者が約旨に基づく所有権移転登記の請求をするのは受益の意思表示を包含する、という）。更に、第三者の受益の意思表示は訴訟上においてもすることができるのはいうまでもない（【21】、前掲長崎控判昭三・四・一四、前掲宇都宮区判昭一六・一〇・九（一一五頁参照）、東京区判大五・三・九新聞一一一三・二七）。

（二）民法五三七条二項は強行規定であるか。すなわち、要約者・諾約者間の契約で、第三者は、受益の意思表示をまたずに当然に権利を取得するものと定めることができるか（既述のように、ドイツ民法は、第三者の権利は当然に生ずるものとするとともに、それは第三者が拒絶すれば遡及的に消滅するものとする。独民三二八・三三三参照）。判例は否定する（大判大五・七・五民録二二・一三三六。但し、明治四四年商法改正前の・第三者を保険金受取人とする生命保険契約に関する――尤も、松本・法協三五巻一三六頁判批は判旨に反対)。学説としては、多数は判例とは反対にかかる特約を有効とするが(鳩山・一八〇頁、末弘・二〇八頁、末川・一二二頁、戒能・八三頁、松坂・民法提要債権各論二七頁、勝本・債権法概論(総論)六一頁、石田・債権各論一九頁など)、無効とするものもある(田島等・三三〇―一頁、我妻・債権各論(上)一二二頁、柚木・二一五頁。これらは、第三者が権利を放棄し得るとしても、この放棄には遡及効が認められないという観点から有効説を批判している)。因みに、わが民法制定当時の記録によれば、担当起草者は、外国の立法例としては、相対立する考え方(第三者のためにする契約の成立を場合を限り例外的にのみ認め、且つ第三者の権利はその受益の意思表示をまつて生ずるとするものと、契約当事者の意思により当然に第三者の権利取得を認め、ただ第三者が受益を拒絶したときにのみその権利が遡及的に消滅するとするものと)があるが、わが民法としてはその中間をとつて、場合を限定はしないが第三者の権利はその受益の意思表示をまつて生ずるとするのが適当だ(第三者が欲しないかもしれないのに当然に権利を取得させるのは、少しく行過ぎであろうし、殊に日本人の考えなどにも合うまいから)、と考えたもののようである(前掲・速記録二五巻三三―四丁富井発言)。そこで、現在における解釈論としては、理論的には前記の有効説・無効説いずれも成立ち得るであろうが、有効説の方が現実的でまさつているように思う。のみならず、私は、当該の契約の性質によつては、特に、当事者の明示の意思表示がなくとも、第三者が当然に権利を取得するものと解すべき場合があり得ると考える(第三者のためにする債務免除契約の一場合における第三者(七八頁参照)、当座口振込における被振込人(三〇頁参照)、電信送金の送金受取人(中馬・前掲判例演習二四三頁参照)、など)。

二　受益の意思表示前の第三者の地位

受益の意思表示をなし得る第三者の地位は一種の形成権である。

(一)　この形成権は一身専属権であるか。権利者本人の意思を尊重すべきことを理由として、これを一身専属権なりとし、相続や債権者代位権の目的とならないと考える者がある(末川・一二三―四頁、石田・二二頁、山中・契約総論一四六頁はすべてについて、田島等・三三四頁は代位権だけについて、消極説をとる)。しかし、我妻教授は、「この形成権は財産的色彩の強いものだから、相続はもとより（相続人の意思を尊重すれば足る）、債権者代位権についても（資産の不充分な者について、債権者を害してまで個人的意思を尊重すべきではない）、ともに肯定してよい」（我妻・債権各論(上)一二二頁）とされ、柚木（二〇六頁）、永田（新民法要義債権各論六九頁）、宗宮（債権各論七四頁）の諸教授もほぼ同説である。因みに、大審院も次のように代位権については肯定している。

【23】　上告人Xは昭和一三年八月訴外Aから林檎畑の地上権と同地上の林檎樹を買受けたが、実はAはこれらを既に昭和四年頃被上告人Yに売渡し、AはYよりこれらの賃貸を受けていたもので、しかもその賃料を延滞していたのである。そこで、Yは昭和一三年一〇月延滞賃料債権により右林檎樹上の成熟果実を仮差押したので、Xは困却し、Yに交渉の結果、YがAに対する賃料債権総額五〇〇円のうち二〇〇円を免除し残額のうち二〇〇円はXがAに代って現金で弁済し更に爾余の一〇〇円についてはXがAのために債務引受をなすということを条件に、Yが仮差押を解除する旨の契約がX・Y間に成立した。然るに、その後XがAに対し不動産の競売をなしたところ、YがなおAに対する延滞賃料ありとして配当要求をして来たので、争となつた。原審は、YがAに対する賃料債権を免除する旨のX・Y間の契約はいわゆる第三者のためにする契約に属し、Aの受益の意思表示によつて免除の効力を生ずるのだが、受益の意思表示をなすことは権利ではなく一種の法律上の可能に過ぎず、且つこの意思表示は第三者本人が自主的になすべきもので、債権者代位権としてこれを代位行使することはできないものであるから、Xがかかる意思表示をしても駄目だし、またA自身が意思表示をした証拠もないから、結局免除契約は発効していないとしてXを負かした。これに対しXは、第三者のためにする契約とは第三者をして諾約者に対し一定の給付を請求する債権を取得せしめるものだから、この第三者に代位して受益の意思表示をなすことは可能だ、として上告した。

「所謂第三者ノ為ニスル契約ニ付第三者カ諾約者ニ対シテ受益ノ意思表示ヲ為スコトヲ得ヘキ地位ハ一種

ノ形成権ニ外ナラサルカ故ニ第三者ノ債権者カ自己ノ債権ヲ保全スル為メ第三者ニ属スル権利ヲ行使スル必要アル場合ニ於テハ第三者ニ代位シテ右受益ノ意思表示ヲ為シ得ルモノト解スルヲ相当トスサレハ原審カ前記ノ如ク解シテXカAニ対スル債権保全ノ為メ代位権行使ノ必要アリシヤ否ヤヲ審査スルコトナク輒クXノ本訴請求ヲ排斥シタルハ法律ノ解釈ヲ誤リテ審理ヲ尽ササルノ違法アルモノト云フヘク論旨理由アリ原判決ハ破毀ヲ免レス」（大判昭一六・九・三〇民集二〇・一二三三）。

ところで右の判旨には多少言及すべき点がある。本件の場合、X・Y間のAのためにする債務一部免除の契約は、XがAに代つてYに一部弁済をするなどという出捐（この場合、XはY・A間の債権関係につき利害関係を有する第三者である、とみてよいであろう）に基づいて結ばれたのだから、Aはこの契約の効果としてYに対し弁済を拒み得べきは当然と解すべきである。しかし、判旨が本件の場合にAの受益の意思表示を要することを前提にしているのは、疑問があるのではあるまいか。けだし、第三者のためにする債務免除契約において免除の効果の発生のために第三者の受益の意思表示を要するか否かについては見解がわかれているけれども（一五頁参照）、とくに本件の場合には、Aの債務の処理をめぐつてX・Y間に結ばれた一連の契約が、YのAに対する仮差押を解除する目的でなされたものである以上、X・Y間の約旨は、Aの受益の意思表示を要せずして免除の効果を生ぜしめるにあつたと解するのが率直であるからである。もつとも、本件のような場合は別とし、一般の第三者のためにする契約においては受益の意思表示は必要であるし、またかかる意思表示をなし得べき形成権は原則として債権者代位権の目的となると解してよいであろう（板木・民商一五巻四号四〇九頁本件判批は民五一九を重視しつつほぼ同旨。河野・銀行論叢三八巻三号四七頁本件判批は板木教授と反対。なお、四宮・判民昭和一六年度七八事件は、第三者の権利取得は要約者・第三者間の原因関係と運命をともにすると解すべきだから、第三者が免除の効力を受けるには——原因関係のスフェーレーにおけるものではあるが——第三者の受益の意思表示が必要だとすべきだとされ、更に、受益の意思表示には、諾約者に対するいわば処分行為のスフェーレーにおけるそれと、要約者に対する原因関係のスフェーレーにおけるそれとの二つがあるのだから、問題の受益の意思表示が要約者に対する原因関係上のそれをも包含する場合には、常に行使の一身専属権と考えられ、代位権の目的とはならない、とされる）。

（二）　この形成権（受益の意思表示をなし得べき権利）の存続期間は、あらかじめ契約において限定されておるか契約の趣旨に従つておのずから限定され得るならば、それによるべきは勿論であろうが、何ら存続期間を定むべき標準が与えられていないことが多いであろうから、そのような場合には、消滅時効ないし除斥期間に関する規定の趣旨に従つて決定されるほかはないであろう。そうすると、その存続期間の起算点は、権利に始期または条件がない限り、契約締結の時であるが（【24】。同旨、我妻・債権各論（上）一二二頁、柚木・二一七頁）、その期間の長さについては、この形成権はその行使により債権たる請求権を生ぜしめるものであるから十年だ、という説（我妻・債権各論（上）一二二頁、我妻—有泉—遠藤・民法総則コンメンタール二九三頁、柚木・二一七頁）と、第三者が受益の意思表示をなしうるのは、要約者が諾約者に対し第三者への給付を求め得ることによるのだから、第三者が受益の意思表示をなしうる権利の存続期間は、要約者の諾約者に対する権利と運命を同じくする、と解すべきだという説（【27】、田島等・三三五—六頁、末川・一二四頁。判例と学説とはやや表現のニュアンスを異にするが、実質的にはほとんど同じとみてよいであろう）とがある。存続期間の長さの点は、私にはよくわからないが、大体後説によりたい。もつとも、後説によつても、ほぼ前説と似たような結果になるのではあるまいか（九〇頁以下）。

【24】　本件土地の所有名義人Aの内縁の夫Bは、Aの代理人としてYの代理人C・Dとの間に、本件土地

を六五一円で売買する旨の契約を締結した(大正一〇年六月四日)。しかし、本件土地はB家祖先伝来のもので(名義はAにあったけれども)あつたためBは売却したくなかつたのをYの懇請によつて売却を承諾したといぅ事情にぁったので、BはAの代理人として将来Yが本件土地を必要としなくなつたときには原価でBに売渡すといぅ・第三者のためにする不確定期限付売買予約をYの代理人C・Dとの間に結んでおいた。ところが、Yは昭和一三年一二月頃この土地を所有する必要がなくなり、不確定期限が到来したに拘らず本件土地をE銀行に売却し所有権移転登記をしてしまつた(昭和一四年一月)ので、Bの相続人Xが訴を提起して、(1)Xが六五一円をYに支払つたときはXに対し所有権移転をなすべく(2)もしそれが不可能なら、時価と原価との差額六五一円を損害賠償せよ、と請求した。これに対しYはBの受益の意思表示をなすべき権利は大正一〇年六月四日の翌日から起算して、既に一〇年を経過しているから時効で消滅した、と抗弁した。原審は、不確定期限付の第三者のためにする契約においては、第三者の受益の意思表示をなし得べき権利は、期限到来の時から一〇年で時効消滅するのだが、Bの承継人Xはこの期間の経過する前に有効に受益の意思表示をしたと説いて、Xの損害賠償の請求の方を認めた。Yは、第三者の受益の意思表示をなしうる権利の消滅時効の期間は第三者が第三者のためにする契約のなされたことを知つた時から進行すると主張して上告した。

「按スルニ……斯カル契約成立シタル以上Bカ受益ノ意思表示ヲ為シ得ヘキ権利ノ消滅時効進行ノ始期ハ該契約成立ノ時ナリト云ハサルヘカラサルモBハ右ノ如ク代理人トシテ其ノ契約締結ノ衝ニ当リタルモノナルカ故ニ特別ノ事情ナキ限リ同時ニ、本人トシテ少クトモ黙示的ニ受益ノ意思表示ヲ為シタルモノニシテ、後日右不確定期限到来ノ暁ニハ売買完結ノ意思表示ヲ為シ得ヘキ権利ヲ直ニ取得シタルモノト認ムルヲ相当トス而シテ右期限到来シ上告人カ本件土地ヲ他ニ譲渡シテ自ラ所有セサルニ至リタル後ト雖モB又ハ其ノ承継人ハ完結ノ意思表示ヲ為シテ売買ヲ成立セシムルコトヲ得ヘク之ヲ成立セシメタルトキハYハ則チ他人ノ土地ヲ以テ売買ノ目的ト為シタル売主ノ責ニ任シ之ヲ取得シテ買主ニ移転スルコト能ハサルトキハ之ニ因リテ買主ニ生シタル損害ノ賠償ヲ為スヘキ義務ヲ負フヘキコト勿論ナリ」（大判昭一八・四・一六民集二二・二七一）。

本件については諸家の評釈（来栖・判民一八事件、末川・民商一八巻六号六三九頁、薬師寺・志林四五巻一一号八六二頁、石川・日本法学九巻一一号七五二頁）があり、その中には種々示唆に富む記述が見受けられる。それらについていちいち論及するいとまはないが、私はこれら先達の示唆されるところに基づき一応次のように考えたい（上告理由のあやまっていることはいうまでもないであろう）。（Ⅰ）本件における不確定期限付売買契約は形式的にではなく実質的にみるべきである。従つて、たとえその契約がAとYとを本人とする売買契約証書にBのためにする不確定期限付売買の予約を書き添えたという形をとつたものとしても、予約に関する部分はB本人とYとの契約だとする方が率直簡明であると思う。そうすると、Bは予約を締結したときに直ちに不確定期限付の予約完結権を取得し、この完結権は右期限到来時より（大判大一〇・三・五民録二七・四九三参照）一〇年の除斥期間（私は消滅時効ではないと考える）により消滅することとなる。（Ⅱ）もし、形式を尊重し、右のような予約は第三者Bのためにする契約だと解することにしても、結果は右と同じになるべきだと思う。けだし、この場合BはAの代理人として第三者Bのためにする予約を結ぶと同時に黙示的に受益の意思表示をしたものであり（なお、本件の場合、第三者が受益の意思表示をなしうる権利の消滅時効を云為すべきでない、とする来栖教授の批判は正当であろう）、Bの取得した予約完結権は不確定期限到来後一〇年で消滅する、と考えられるからである。

（三）　この形成権（受益の意思表示をなし得べき権利）は、契約当事者間に特別の合意がない限り、当事者において自由にこれを変更しまたは消滅させることができる（民五三八の反対解釈）ことはいうまでもない（東京控判明三五・一一・二一新聞一一三・八）。

三　受益の意思表示後の第三者の地位

（一）　受益の意思表示があれば、第三者は契約に基づく権利を確定的に取得し、爾後契約当事者は任意にこれを変更しまたは消滅せしめることを得ない（民五三八。仏民一一二一第二文、瑞債一一二Ⅲもほぼ同旨。なお判例としては、朝鮮高判大一一・八・二五評論一一巻民法八五七頁）。しかし、これは絶対的な不能という程の意味に解する必要はないであろう（わが民五三八の文言は一見強行規定的にみえる。ところが、民法制定時の事情をみるに、担当起草委員富井博士の考えは、当事者がその気でいたのなら第三者の受益の意思表示の後でも消滅せしめうるわけだが、当事者の意思不明な場合の推定規定として本条を設ける、というのであつたが、委員会の審議の際は、取消しえないのは自明だから削除せよという意見と、取消しうるのは当然だという意見とが対立し、結局議決により存置された、というのが事実である。従つて、当時においても、取消絶対不能という明確な統一見解はなかつたようである。前掲速記録五〇丁以下参照）。すなわち、契約に別段の定めがある場合は要約者・諾約者の合意で解約しまたは契約内容に変更を加えることができるとみなければならない（田島等・三四四頁、柚木・二一八頁、末川・一二五頁、一二九頁）。のみならず、契約または法律に明示の定めはなくとも、当該の契約自体の性質からそのような変更ないし消滅の権限が留保されているものと解され、且つ、第三者がこれを受忍しても公平に反しないとみられる特別の場合は、これをなしうるものと解したい（この最後の考え方は、ドイツ民法（三二八Ⅱ）に近いもので、わが民法の解釈としてはいささか自由に過ぎるかもしれないが、このように解することも不可能ではないであろう。他人のためにする生命保険契約における保険契約者の商六七五―六七七所定の変更・撤回権の如きはかかる考え方の立法による具体化の一例である。因みに、松本・法協三五巻一号一三六頁判批はこの場合保険契約当事者の意思が通常そうであるからだ、という）。もつとも、以上のような自由な解釈を示す判例はいまだ存在しないようである。

（二）　第三者の権利に対し、債務者（諾約者）は、その権利を生じさせた契約に基因する抗弁をもつて対抗することができる（民五三九）。第三者の権利は、この契約そのものから生じたものだからである。契約に基因する抗弁とは、権利の行使を妨げる一切の事実で第三者のためにする契約から生じたもの、例えば、同時履行の抗弁権（諾約者が買主となつて代金を第三者に給付する場合、第三者への代金の給付と要約者から諾約者への物の引渡とは同時履行の関係に立つ）、契約の無効・取消（契約に取消原因あるときは、諾約者は要約者に対して取消をなし、その結果として第三者に対し第三者の権利の消滅を主張することができる）、解除（諾約者が買主となつてその代金を第三者に給付すべき場合、売主たる要約者に債務不履行があれば、諾約者は売買契約を解除し、これを以て第三者に対抗しうる。なお、後掲【29】を参照）の効果の主張などである。この場合においては、この第三者は、無効や取消の効果を対抗せられない第三者（民九四Ⅱ・九六Ⅲ）には該当しない――即ち、善意・悪意を問わずに無効・取消の効果を以て対抗される（東京控判大三・四・三〇新聞九五四・二三はこの趣旨に立つもので、将来成立すべき法人のためにする寄付契約が要約者・諾約者間の虚偽表示によるものであつたことを理由に、諾約者の相続人は該法人の善意・悪意を問わずこれに対抗し得ると説く。なお、前掲我妻・判民昭和九年度六七事件（同書二〇五頁以下）参照）。この理は、解除の場合についても同様である（この場合には、民五四五Ⅰ但書は働かない）。

法律行為の相手方の善意・悪意・過失・無過失などが問題とされるとき（民一一〇・一一二・一一七・五六一―七〇など）は、専ら要約者についてこれを考えるべきである。判例【25】は、他人の物の売買において、要約者がその物の売主（諾約者）に属しないことを知つていたときは、第三者は、彼自身善意であつても、損害賠償を請求することはできない、という。

【25】　AがYとの間で第三者たるXの利益のために一定期日限り一定代価でY所有の特定の田及び宅地をXに売却すべきことを約し、Xが期限内に代価を提供し利益享受及び売買完結の意思表示をなしたところ、Yがこれを拒み争となつた。原判決は、「右契約当時売買目的物のうち田地はYの所有でなく移転登記ができなかつたものであり、しかも要約者たるAはそのことを知つていたのだから、Aは民法五六一条但書の買主に相当し、従つてXも損害賠償の請求権を有しない」としたので、Xは、「これは不当であり、Xこそ本件契約における買主なのだから、売買目的物がYに属しないことを知つていたかどうかはXについて決すべき

ものだ。また、原判決は、Aが契約当時売買目的物がYのものでないことを知っていたのは契約に基因する抗弁だからYはこれでもつてXに対抗できると判定したが、右抗弁は実は法律の規定による抗弁というべきものなのだから、Xに対抗できないはずだ」として上告した。

「第三者ノ為ニスル契約アリタル場合ニ於テハ要約者ハ第三者ニ給付ヲ為スヘキコトヲ諾約者ニ対シテ請求スルコトヲ得又第三者ハ自己ニ対シテ給付ヲ為スヘキコトヲ諾約者ニ対シテ求ムルコトヲ得ルモノニシテ両者ノ債権ノ目的ハ同一ノ給付ニシテ第三者カ諾約者ニ対シテ給付ヲ求ムルコトヲ得ルハ要約者ニ於テ第三者ニ給付ヲ為スヘキコトヲ諾約者ニ対シテ求ムルコトヲ得ルニヨル利益ヲ享受スルノ意思ヲ第三者カ表示スルニ因ルモノナレハ諾約者ニ於テ契約ニ基因スル抗弁ヲ有シ要約者ノ前記ノ債権ノ履行ヲ拒ムコトヲ得ルトキハ諾約者ハ第三者ニ対シテモ其ノ債権ノ履行ヲ拒ムコトヲ得ルモノトス而シテ第三者ノ為ニ他人ノ所有権ヲ売買シ第三者ニ其ノ所有権ヲ移転スルコトヲ当事者カ契約シタル場合ニ於テハ要約者ハ買主ニハアラサレトモ第三者ニ目的物ノ所有権ヲ移転スルコトヲ諾約者ニ対シテ請求スルコトヲ得ルモノナレハ之ヲ買主ト同視スルヲ相当トスルヲ以テ諾約者カ其ノ目的物ノ所有権ヲ第三者ニ移転スルコト能ハサル場合ニ於テ要約者カ契約ノ当時其ノ目的物ノ所有権ノ諾約者ニ属セサルコトヲ知リタルトキハ要約者ハ損害ノ賠償ヲ第三者ニ為スヘキコトヲ諾約者ニ対シテ求ムルコトヲ得サルト同時ニ第三者モ亦損害ノ賠償ヲ諾約者ニ対シテ求ムルコトヲ得サルモノト解スヘキモノトス」「然レトモ……所論ノ抗弁ハ民法第五百三十九条ニ所謂契約ニ基因スル抗弁中ニ包含スルモノト解スルヲ相当トスルヲ以テ論旨ハ理由ナシ」（大判大一四・七・一〇民集四・六二三、鳩山・判民一〇二事件）。

私は第三者に売却すべき旨の契約についてたやすく第三者に何らかの権利を認めること自体に疑問をもつ（一三頁以下参照）。しかし、判例は本件の場合、A・Y間の契約はYがXに対し売買一方の予約者となるべきことをAに約束する趣旨のものであつたと認めているようだから（判例集六二七頁参照）、当事者が事実そのような意向であつたというのなら、それに従わざるをえない。そうすると、判旨も結果的に正当とすべきものであろうか。けだし、本件の場合、X・Y間の売買契約はA・Y間の契約とは一応別個のものではあるが（この意味において、X・Y間の売買契約自体についてのXの悪意をYはXに対抗しうる。もつとも、この抗弁は第三者のためにする契約一般に妥当するものではない）、しかし、右売買契約の内容（売買目的物、価額等）は実質上A・Y間の契約により決定され、YもXもその決定に支配される（Yは全面的に支配されるが、Xは敢えてその決定を受容したことによつて支配される）という以上は、Aの悪意がXにかぶつてくるとみるのが相当であろうから。従つて、Yの抗弁の根拠を法文に求めるならば、それは民法五三九条の「契約ニ基因スル抗弁」たることに帰せらるべきである（但し、前掲・鳩山判民一〇二事件および柚木・二一九頁は、判例が、要約者の権利を主たるものとし、第三者の権利はこの要約者の権利と内容が同一でなければならないとすることに反対する）。

㈢　第三者は契約の当事者となるものではないから、自ら契約を取消しまたは解除することはできない（もつとも、第三者のためにする契約によつて第三者が取得した双務契約上の地位に基づいて、第三者がその双務契約を解除し得るが如きは、もとより別個の問題である）。

債務者（諾約者）が第三者その人に対する人的な抗弁権（例えば相殺）を主張し得ることは一般原則上当然である（もつとも、電信送金契約については、送金受取人が被仕向銀行に対して送金支払請求権をもつとする説においても、電信送金なる委託の趣旨よりして、被仕向銀行が送金受取人の支払請求権を銀行の反対債権によつて相殺することは許されない、とする見解が有力である——前掲、我妻・判民大正一一年度八三事件、来栖「第三者のためにする契約」民法演習Ⅳ四〇—一頁など）。

五　要約者の地位

一　要約者の給付請求権

要約者は、原則として諾約者に対して、第三者に対する債務を履行するよう請求する権利を有する（通説。なお、独民三三五参照）。判例もこのことを明言する（前掲【25】、後掲【26】【27】。但し、判例は、要約者が常にかかる請求権を有するかの如き表現をとっている）。

（一）　要約者のこの権利は、契約に始期又は条件が付されていない限り、契約の成立とともに発生する——即ち、第三者が受益の意思表示をする以前にも、要約者の権利は存在する（【26】【27】。但し、【26】の、判批、石坂・京法一〇・一〇三七は反対）。

第三者が受益の意思表示をなさず、又はその権利を放棄した場合に、第三者のためにする契約が如何なる効力を有するかは、各場合における契約の趣旨を解釈して決めるほかはない。これを普通に考えられる場合について云えば、

(1)　当事者の契約で第三者の権利取得が不可欠の目的と定められた場合は、第三者の受益の意思表示の拒絶により、第三者の権利の発生しないことが確定するとともに、第三者のためにする契約は失効し、要約者の諾約者に対する債権も消滅する。

(2)　その他の一般の場合には、第三者が受益の意思表示をなさず、又は、一旦その表示をして取得した権利を放棄しても、要約者が諾約者に対して第三者に給付すべきことを請求する権利は消滅しない。けだし、この場合においても、第三者が現実の給付を受領することがあり得るので、それによって諾約者の——要約者に対する——債務は履行される可能性があるからである（鳩山・一九二頁、末川・一二六頁、田島等・三四二頁）。次の判例（【26】）は——その表現に問題はあるが——この理を示すものとみてよいであろう（石坂・前掲判批は判旨に反対）。

また、近年の下級審判例が、第三者（当該事件の場合は無能力者であつた）が受益の意思表示をしない場合でも、債権者はみずから債務者に対し第三者に給付すべき旨の請求権を行使しまた強制執行をすることができ、この場合に、執行吏が債務者の占有する目的物を債権者に引渡しても、右の執行関係では債権者を第三者のために代理占有をする者として引渡したものと解すべきであり、その執行方法は違法ではない、と説いているのも（広島高決昭三〇・一一・一七民集八・一〇・二二三）、右の趣旨に出づるものであり、論旨首肯される。

【26】 判決録の記載からは、事案がよくつかめないが、判旨のみを掲げると「第三者ノ為メニスル契約ト雖モ当事者間ニ在リテハ其契約ノ成立ト同時ニ債務者ハ債権者ニ対シテ第三者ニ給付ヲ為スヘキ義務ヲ負フモノナリ但タ第三者ノ権利ノ発生スルハ其第三者カ債務者ニ対シテ受益ノ意思ヲ表示シタル時ニ在ルヲ以テ第三者カ契約ノ利益ヲ享受スルコトヲ拒絶シ履行不能ニ終ルコトアルモ債務者ニ於テハ必ス第三者ニ対シ契約ノ目的タル給付ヲ為スヘク之ヲ為ササルトキハ遅滞ノ責ニ任スルヲ当然トス然レハ原院カYニ於テ本件委任状引受契約ニ定メタル期限迄ニ第三者タルAニ対シ契約ノ目的タル給付ヲ為ササリシコトヲ認メYカX_1・X_2・X_3ニ対シ損害賠償ノ義務ヲ負担スルニ至リタルコトヲ判示シタルハ相当ニシテ本論旨ハ採用スルニ足ラス」（大判大三・四・二二民録二〇・三一三）。

そして、諾約者が現実になした給付を第三者がどうしても受領しないときは、ここではじめて諾約者の要約者に対する——第三者に給付をなすべき——債務は、その責に帰すべからざる理由によつて履行不能となり、消滅する（鳩山・一九二頁、末川・一二六頁、田島等・三四三頁）。しかし、この場合も契約自体が失効するものと即断することはできない。契約の趣旨によつては、要約者が別の第三者を指定し（保険契約ではこの趣旨が明らかにされている。商六七五・六七六、簡保三八参照)、または、要約者自身に履行すべきことを請求する権利を保有する場合(第三者に給付することが副次的な意味しかない場合)も稀ではないことを注意すべきである。そして、このようなことは必ずしも明示的に定められることを要しないから、各個の契約のなされた目的や取引慣行に応じ契約解釈上認めてよいのである(末川・一二七頁、田島等・三四三頁、我妻・債権各論(上)一二六頁)。

(二)　第三者が受益の意思表示をしても、要約者はその従前より有した・第三者に給付すべきことを諾約者に請求する権利を失わない(たとえば、我妻・債権各論(上)一二五頁、末川・一二七頁参照)。当然のことであるが、近年下級審判例はこの理を宣明した(東京地判昭三一・九・二四下級民集七・九・二五九三、飯島・商判研ジュリスト一九七号八三頁)。

(三)　要約者の権利の消滅時効の起算点は原則として契約成立の時であり、第三者の受益の意思表示の有無にかかわりなく進行する。判例もこの理を肯定する(次掲【27】)。ところで、要約者の権利の消滅は第三者の受益の意思表示をなしうべき権利の消滅を来すであろうか。判例は次のように問題を肯定する。

【27】　明治三〇年五月、Y_1及びY_2の先代Aが各自の所有地をXに贈与すべき旨をB(Xの兄)に約束し、その契約に基づいて大正四年一〇月Xが受益の意思を表示しその履行(所有権移転登記)を求めたところ、Y_1等が一〇年の消滅時効を援用したという事件であるが、原審では要約者の権利は第三者が利益享受又は拒否の意思表示をするまでは時効にかからないとしてY_1等を負かした。Y_1等上告。大審院は次のように、上告理由を容れて原判決を破毀、第一審判決を廃棄。

「契約ニ依リ当事者ノ一方カ第三者ニ或給付ヲ為スヘキコトヲ約シタルトキハ要約者ハ諾約者ニ対シ第三

者ニ給付ヲ為スヘキコトヲ要求スル権利ヲ有シ其権利ハ契約ニ始期ヲ附セサル限リ契約成立ノ時ヨリ之ヲ行使シ得ヘキヲ以テ其権利ノ消滅時効ハ契約成立ノ時ヨリ進行スヘク第三者カ契約ノ利益ヲ享受スル意思ヲ表示セサルカ為メニ其進行ヲ妨ケラルルモノニアラス而シテ第三者カ要約者ノ権利ノ時効ニ因リ消滅スル迄ニ利益享受ノ意思表示ヲ為シタル時ハ第三者ノ諾約者ニ対スル給付請求ノ権利発生シ独立シテ時効ノ進行ヲ始ムヘキハ勿論ナルモ要約者ノ権利カ時効ニ因リ消滅シタル以後ニ於テ為シタル利益享受ノ意思表示ハ第三者ノ権利ヲ発生セシムル効ナキモノトス何トナレハ要約者ノ権利ニシテ消滅スル以上ハ諾約者ハ第三者ニ給付ヲ為スノ義務ヲ免ルルカ故ニ第三者ハ其利益ヲ享受スルニ由ナク此意味ニ於テ要約者ノ権利ノ存在ハ第三者ノ権利発生ノ前提タレハナリ本件ニ於テXハY_1及Y_2ノ先代Aカ各其所有地ヲXニ贈与スヘキコトヲXノ兄Bニ対シ契約シタリト主張シ其主張ハ原判決ノ肯定シタル所ナレハ要約者タルBノ諾約者ニ対シXニ贈与ヲ為スヘキコトヲ要求スル債権ノ時効ハ契約成立ノ日タル明治三十年五月八日ヨリ進行シXカ利益享受ノ意思ヲ表示シタルハ……大正四年十月二十一日ナレハ其間十年ヲ経過シBノ債務者ニ対スル債権ハ既ニ其時迄ニ時効ニ因リ消滅シXノ意思表示ハ権利発生ノ効力ヲ生セサルヲ以テXカY_1 Y_2ニ対シ本件地所ニ付キ贈与ニ因ル所有権移転ノ登記ヲ請求スル本訴ハ理由無キモノトシテ之ヲ却下スヘキモノトス然ルニ原裁判所カ第三者ノ為ニスル契約ヨリ生スル要約者ノ権利ハ第三者カ利益ノ享受ヲ拒絶スルカ又ハ利益享受ノ意思ヲ表示スル迄ハ時効ニ罹ラサルモノトシテY_1 Y_2ノ時効抗弁ヲ排斥シXノ請求ヲ是認シタルハ時効ノ法則ヲ適用セサルノ違法アルモノトス」（大判大六・二・一四民録二三・一五二）。

本件の場合にXが権利を取得するものと考えるべきか否かがまず問題だが（一一一頁以下参照）、これを肯定すべき場合であるとして、判旨の当否を考えてみよう。

判旨は、第三者の受益の意思表示をなしうべき形成権は要約者の諾約者に対する請求権に従属するものと考え、後者が十年の消滅時効にかかつたときは第三者の右の形成権も消滅すると解するのである。学説の中にも、このような考え方から第三者の形成権の消滅時効期間を定め、且つ、要約者の諾約者に対する債権について時効中断があるときは、その効果が第三者の右の形成権の存続期間にも及ぶ、とするものがある（田島等・三三五―六頁、末川・一二四頁）。

ところが、これに対し柚木教授は、要約者の権利は第三者の権利に対しては従属的なものでその前提要件をなすものではないという考え方のもとに、たとい要約者の権利が時効消滅しても、第三者の右のような形成権が――その固有の時効にかからない間に――消滅する理由はないとされる（柚木・二二〇頁。なお、前掲鳩山・判民大正一四年度一〇二事件も、第三者のためにする契約においては第三者が権利を取得することが本質的効果であつて、要約者もまた第三者に給付をなすべきことを請求しうることは単に通常の場合に生ずる効果たるにすぎぬ、と云つている）。

このような対立をどのように考えるべきであろうか。私には到底自信はないが、どちらかといえば判例の見解の方に理があるように思う。即ち、卑見によれば、第三者のためにする契約の存在するときは、原則として要約者もまた諾約者に対し第三者への給付を求め得るので（場合により要約者のこの権利が存在しないこともあり得る。独民三三五はこの旨を明言する。因みに、第三者が直接諾約者に対して請求権をもつという「第三者のためにする契約」概念の意義は特にかかる場合において大であると愚考する）、このような場合において第三者の受益という結果を実現する方法としては、要約者が諾約者に対し約旨の実現を迫り、これにより諾約者の方から第三者に対し所要の行為をなして所期の結果を実現するという途と、第三者が自己に与えられた権利として受益の意思表示をなし、それによつて得たところの諾約者に対する権利を行使することによつて結果の実現に至るという途との二つがあり得るであろうが、いわゆる第三者のためにする契約に特有の面は後者にあり、しかも実質的にみて後者が前者より大きな作用を営み、前者の機能は通常は補助的・手段的なものに過ぎないであろう（柚木教授がこの点を指摘されるのなら、それは正しい）。しかし、第三者の受益の意思表示をなしうる権利は、要約者・諾約者間の契約により発生せしめられるものなのだから、その権利の存続期間は要約者の諾約者に対して有する権利と同一の存続期間に服し、もし後者について時効中断があれば、それだけ前者の存続期間は延長されると解すべきであろう（もっとも、要約者の権利についての時効中断は実際にはあまり行なわれないであろうが）。そして、第三者が受益の意思表示により取得する権利は本来は要約者の権利の終期まで存続すべきものだが、この時までに第三者がこの権利につき訴訟提起その他強力な手段を講ずればその時効が中断し、爾後は要約者の権利と第三者の権利とは独自の運命をたどる（但し、双方の権利ともに存続している段階においては、いずれか一方の権利の満足は、とりもなおさず他方の権利の相応部分の満足となることはいうまでもない）と解すべきであろう。従つて、このように解するときは、第三者は、自己に与えられた権利としての受益の意思表示をなすことはもちろんできるが、第三者のこの形成権は、それ自体の性質上、要約者の権利が消滅した後までも生き残ることはあり得ないわけである。もつとも、第三者のためにする契約とともに要約者が法律関係から脱するというような特殊の場合には、もつぱら第三者の側についてその権利の存続期間が考えられるが、この場合も、その受益の意思表示をなしうる権利の存続期間が要約者・諾約者間の契約の趣旨によつて決定されることにはかわりないであろう。

二　要約者の解除権

契約に原始的に附着した瑕疵に基づいて（要約者が無能力であつたり、詐欺強迫を受けたときなど）要約者が契約を取消し得ることについては、争がない。問題となるのは、諾約者の責に帰すべき事由によつて履行不能又は履行遅滞を生じた場合に要約者は契約当事者として当然に契約を解除し得るかの点である。まず、第三者の権利の発生後においてもこれを消滅せしめ得べき旨の留保が予め当事者間においてなされていた場合、及び第三者が契約の解除に同意した場合については、解除をなし得ること勿論である。しかし、その他の場合については、いやしくも既に第三者が受益の意思表示をした以上は、その承諾なしには解除しえない（民五三八）とする説がむしろ多いようである（鳩山・一九一頁註四、末川・一二八―九頁（但し、諾約者が要約者自身にも一部の給付をなすべき債務を負うているときは、要約者はその不履行を理由に解除をなし得るという など））。しかし、五三八条の規定が当事者間の合意で第三者の権利を覆滅させえない（但し、これも絶対的なものでないことについては既に述べた。八二頁参照）という以上の意味を持つとは思われず、また実質的にみて契約当事者の通常の意思が第三者に要約者の解除権を封ずる程の独立の権利を与えるにあるものとは解せられず、更に、諾約者が債務を履行しない場合に反対給付たる要約者の債務を免れしめ得る途を要約者に与えないというのは不当であるので、むしろ第三者の権利は、契約から生ずるものとして、契約の解除あるときは消滅すべき運命を最初から担つているものと解すべきであろう（我妻・債権各論（上）一二七頁、柚木・二二一―二頁、田島等・三四五―六頁）。もつとも、判例としては次の【28】があるだけである（事案は、前掲末川・一二八―九頁の云われる・諾約者が要約者自身にも一部の給付をなすべき債務を負つている場合における解除に当る）。

【28】　民法施行前に行なわれた隠居による家督相続をめぐる紛争。Xは訴外Aの養子となつたが、Aから財産を譲り受けた後Aに対し少しも小遣銭を給与しなかつたためAと不和になり、明治九年に隠居した。と

ところが、Xは隠居の際不当に多くの財産を自己に留保し、家督相続人Bに家名を維持するに必要なだけの財産を遺留しなかつたので、BはXのなした留保は無効だとしてXと争うに至り、明治三四年にBはXを相手取つて相続財産引渡の訴訟を提起した。併し翌年B・X間に和解が成立し、XがBに或る給付をなし、Bはその相続財産に対する承継の権利全部を放棄するという協定で、Bはその訴訟の取下をした。なお、この和解契約中には、XがBの実母Cに特定の地所を贈与すべき旨の条項が含まれており、この分についてはCは受益の意思表示をして右地所の一部をXから受領した。ところが、XがBに対し約束の給付をしないので、Bは催告の後契約を解除した。

本件は、右解除によりBに復帰したものと考えられた不動産のうち、Y_1がBから相続したもの、及びY_2ほか六名がBから買受けたものにつき、Xが解除の無効その他を主張して、売買による所有権移転登記と保存登記との抹消方を求めたもので、第一審ではXが勝訴し、Y_1等が控訴したものである。判旨は、Xが「自分が和解契約の一部を履行し第三者たるCが既にその利益の一部を享受し同人の権利が発生した以上はもはやBにおいて該契約を解除することはできない」と主張した部分に関する。

「契約ニヨリテ当事者ノ双方カ互ニ債務ヲ負担シタル場合ニ其一方カ債務ヲ履行セサルトキハ相手方ニ該契約ヲ解除スル権利ノ発生スルモノナルコトハ勿論ニシテ仮令右一方カ該契約ノ条項ニヨリテ別ニ第三者ニ或ル給付ヲ為スヘキコトヲ約シ第三者カ其利益ヲ享受スル意思ヲ表示シタル場合ト雖モ前示不履行ニ基ク相手方ノ契約解除権ノ発生ヲ妨クヘキ何等ノ規定ナキヲ以テ苟モ双方契約当事者ノ一方カ其債務ヲ履行セサルトキハ該契約ノ利益ヲ享受スヘキ第三者ノ権利発生シタル後ト雖モ契約当事者間ニ於テハ不履行ヲ原因トシテ契約ノ解除ヲ為スコトヲ妨ケサルモノナリ本件ニ於テ前示和解契約第一条ニヨリXカ第三者タルCニ対シテ地価金千四百円ノ地所ヲ贈与スヘキコトヲ約シタルコトヲ認メ得ヘク又甲第六号証ニヨリCカXニ対シテ同

約款ノ利益ヲ享受スル意思ヲ表示シ右地所ノ一部ヲ受領シタルコトヲ認メ得ヘシト雖モ前段説明ノ如ク右和解契約ニヨリXカBノ為メ金円ヲ支出シBハ相続ニ基キ承継スヘキ財産ノ権利ヲ抛棄シ且ツXニ対スル訴訟ノ取下ヲ為スヘキコトヲ約シ双方互ニ債務ヲ負担シ而シテBカ訴ノ取下ヲ為シタルニ拘ラス(中略)Xニ於テ金円支出ノ債務ヲ履行セサルモノナルヲ以テ仮令第三者タルCノ権利発生シタル後ト雖モBカ右契約ノ解除ヲ為シ得ルモノナルコトハ前示ノ理由ニヨリ明カナル」につき、Xのこの点の主張は失当である(東京控判明四二・一一・二一新聞七〇八・二一)。

六 諾約者の地位

諾約者について生ずる法律効果は、既に述べたところの第三者ならびに要約者について生ずる効果の反面をなすものに過ぎないので、ここには多言を避け、ただ、要約者が反対給付を履行しないときは諾約者は契約を解除し第三者の権利を消滅せしめ得ることを判示した下級審の判例をあげるに止めておく(【29】)。

【29】「Xト訴外A間ニハ本件土地所有権ヲXヨリ第三者タルY_1ニ移転スヘキ所謂第三者ノ為ニスル契約成立シ而モ該契約ハAヨリXニ対シ金五百五拾円ノ反対給付ヲ為スヘキ双務的ノモノニシテY_1カ大正二年五月十四日所有権移転登記ニヨリ本件土地ノ所有名義人トナリタルハ即右AトXトノ間ノ第三者ノ為ニスル契約ノ趣旨ニ従ヒY_1カXニ対シ之カ利益享受ノ意思ヲ表示シXハ之カ義務ヲ履行シタルニ因ルモノナルコト明白ナリトス(中略)XハAトノ間ノ第三者ノ為ニスル契約ノ本旨ニ従ヒ本件土地ノ所有名義ヲY_1ニ書換手続ヲ為シタルニ不拘Aハ右契約ノ趣旨ニ従ヒXニ交付スヘキ金五百五拾円ヲ支払ハサル為メXハ大正二年六月九

日Ａニ対シ五日間内ニ之カ履行ヲ為スヘキ旨ヲ催告シタルモＡハ尚其期間内ニ履行セサリシヲ以テ同月十六日右契約解除ノ通知ヲ発シタルコト明ニシテ当裁判所ハ右催告ノ期間ハ相当ナリトナスヲ以テ前示ＸトＡ間ノ第三者ノ為ニスル契約ハ適法ニ解除セラレタルモノト謂フ可シ（中略）而シテ斯ル場合ニ於ケル契約ノ解除ノ主張ハ即民法第五百三十九条ニ所謂契約ニ基因スル抗弁ニ外ナラサルヲ以テＸハ之ヲ以テ其契約ノ利益ヲ受クヘキ第三者タルY_1ニ対抗スルヲ得ヘク然ラハ即Y_1ハ右契約解除ノ結果本件土地ノ所有権ヲ喪失スルニ至ルヲ以テＸニ対シ便宜上Y_2トノ間ニナシタル本訴所有権移転登記ヲ抹消シテ原状ニ回復セシムル義務アルモノト謂ハサルヘカラス」（和歌山地判年月日不明新聞九二〇・二一）。

むすび

社会生活に実在する種々の契約について観るとき、その中には契約当事者以外の第三者に利益を与える趣旨のものがあり得る。そして、このような契約の中には、その契約の目的ないし社会的経済的機能・三者間の実質的関係・当事者の意思の推定（諾約者の一般的に有する債務負担能力の大小も斟酌されよう）・取引慣行の実情等の見地から、契約の直接の効果として第三者に直接の権利を認めるのが妥当と見られる場合があり得る。ところが、この種の契約をわが民法の規定に当てはめる場合、民法の表現が制限的なため（民五三七Ⅱ・五三八参照）、一見民法の枠からはみ出るようなものも存在し得る。この場合に処する態度は論理的には三者あり得る。その第一は、民法に当てはまらぬものとして第三者の権利を否定することであり、その第二は、かかる契約を、民法の規定の枠外にはあるが、しかも、第三者に権利を与える趣旨の特殊の無名契約なりとみるものであり、更にその第三は、民法五三七条二項(および五三八条)を任意規定とみて、前記のような契約もなお「第三者のためにする契約」たるを失わないと構成することである。わが判例の態度は概して第一の類型に属するといってよいであろう。即ち、判例は実生活の要求に即応すべく「第三者のためにする契約」概念をなるべくひろく解するよう効力して来たことは一応みとめられるが、それはもっぱら非定型的個別的契約の分野において民法の条規の文理と抵触しない範囲で行なわれたに過ぎず、契約内容が部分的にもせよ民法の条規と矛盾するかのようにみえる場合(この矛盾は、定型化され制度化された取引の分野に往々見られるようである)については――他の法律に特則の存しない限り――判例は一貫して第三者の権利取得を否定してきたといっても過言ではない(下級審に若干の例外あるのみ。しかも、これらといえども、民法との矛盾に正面から対決してはいない――【8】におけるXの主張およびこれに応ずる判旨、ならびに【9】の判旨を見よ)。しかし、このような判例の態度はあまりに狭隘で同意できない。第二の考え方は方向として妥当と思うが(殊に、「第三者のためにする契約」概念を厳格に限定することが正しいとしつつ実際的に妥当な結果を得ようとする者にとっては、このような考え方は無視できないものであろう)、実定法の確実な裏付を欠く点に難があり、判例としてもそのような考え方に立つものはないようである。しかし、制度化した取引については、当該の取引の客観的な性格からそのような構成も不可能でないのではあるまいか(前掲【6】は――妥当を欠く点はあるが――かかる構成への萠芽を示すといってよいかもしれない)。最後に、第三はドイツ民法的な考え方で、ややわが実定法を離れるきらいがあり、わが判例としてもこのような論理をとるものはないようだが(わずかに、前掲【4】にその片鱗がうかがわれるだけである――但し、【4】の場合に第三者のためにする契約をいうこととの当否は別である)、考え方としては必ずしも奇異なものではないであろう。しかし、第三の方法をとる場合は、当該の契約の実体を具体的に省察することなく便宜主義的に「第三者のためにする契約」概念を拡張し過ぎる弊に堕しないよう特に警戒する必要があろう（ドイツでは、契約の当事者ではないが契約により保護されるべきではないかと思われる者の保護に急なる余り——保護の意図はそれ自体正しいのだが——このような不適当な拡張がなされたといわれている（Enneccerus-Lehmann, §35, I,1; Wesenberg, Verträge zugunsten Dritter, 1949, S.141; Larenz, Lehrbuch des Schuldrechts, I. Band, 5 Aufl., 1962, §11, Ⅲ; 米栖・民商法五一・一〇——一一頁）。なお、わが国については、そのような危険性は比較的小さいとは思うが、それにしても時としては無反省な判例も存在したということを忘れてはなるまい）。即ち、契約の当事者でない受益者の利益を確保するためには、「第三者のためにする契約」概念によらずとも、無権代理・事務管理・その他の構成に訴えることによつて、より適切に説明し得る場合もあり得るであろうから、まずこれらの構成の能否を試みるべきであろう（因みに、ドイツで唱えられる faktische Vertragsverhältnisse（事実的契約関係）, Vertrag mit Schutzwirkung für Dritte等の構成（Enneccerus-Lehmann, §35, I,1; Wesenberg, S. 141; Larenz, §11, Ⅲ. 北川・契約責任の研究一一八八頁）は、契約により受益すべき第三者を保護するための理論づけの一方法として注目に価するものである。しかし、これらはがんらい本稿の対象とする場合とはやや異なる場合に対処するためのものであるから、その概念の類推拡張は軽率に試みらるべきではないであろう）。

以上は解釈論だが、立法論として考える場合も、わが民法はもつと幅の広いものに改めらるべきであろう。もつとも、「第三者のためにする契約」の概念はこれを局限して疑義なからしめ、その枠にはまらない契約類型については別途個別的・具体的にその要件、効果等を規定する、というのも一方法ではあろう。そして、右のいずれの立法態度をとるにせよ、制度化せる諸種の取引類型について約款を明確化・合理化してゆくことが、立法への前段階として特に必要且つ有意義であることは勿論であり、しかもそれは当面の解釈論の紛糾を防ぐためにも望ましいということを、重ねて強調しておきたい。

手附

来栖三郎
太田知行

はしがき

この論文では次の諸問題に関する判例を取扱った。

一 どのような事実が存在する場合に、五五七条一項の「手附の放棄倍戻しによる解除権」が発生すべきか。どのような事実が発生すれば、その解除権は消滅すべきか。

二 契約締結時に授受された金額は、どのような場合に損害賠償の予定額となるべきか。

三 契約の無効、その取消、合意解除、債務者の責に帰すべからざる事由による履行不能のように、手附の放棄倍戻しによる解除、債務不履行による解除以外の事由により、契約が目的を達せずして消滅した場合に、既に買主から売主に交付された金銭の帰属はどうなるべきか。

判例の取扱い方はこうである。

(一) それぞれの判決がどのような事実および請求に対するどのような判決であるか、をあきらかにする。

(二) 判決文から読みとられた諸事実のうち何がその結論にとりレレヴァントであるべきかを、一定の基準にもとづいて決定する(いわゆる、判例規範の定立)。その際には、五五七条一項の性質に関するわれわれの一定の見解、法律学において一般に受け入れられている価値判断がその基準の役割をするであろう。

本研究では次の判例を対象とした。昭和三九年末迄の最高裁、大審院判例、戦争後昭和三九年末迄の下級審判例。ただし、最高裁、大審院判例や戦後の下級審判例が見あたらなかつた分野では、戦前の下級審判例を対象とした。

一　民法五五七条一項の性格

民法五五七条一項は次のような二つの特徴を有する。第一に、これは「適法ニ成リタル合意ハ其効力法律ニ等シ」という近代法の原則の例外である。すなわち——。二当事者間に或る合意が成立すれば、その合意は両当事者を拘束する、その合意で定められた行為を一方当事者が行なわない場合には、他方当事者は裁判所の協力を得て、前者がその行為を行なつたと同じ状態を実現するか、あるいは、それにかわる損害賠償を請求できる、というのは、近代法の原則の一つであろう。ところが、民法五五七条一項はこの原則の例外をなす。何故ならば——。この条文によれば、各当事者は「履行ノ著手」までは手附額の損失さえ覚悟すれば——特別の合意が存在するわけではないにもかかわらず——いつでも契約を解除しうる。したがつて、「履行ノ著手」迄は、各当事者は、相手方不履行の場合における裁判所の保護を手附額の限度で期待しうるにすぎないからである（来栖三郎「日本の手附法」法学協会雑誌八〇巻六号七五四頁以下、吉田豊「近代民事責任の原理と解約手附制度との矛盾をめぐって」法学新報七二巻一、二、三号一〇二頁）。第二にこの条文は、契約当事者の意思に反するようにみえる。何故ならば、通常は、契約当事者は、単に口頭で契約した場合や書面を交換した場合よりも契約の履行をより確実にすることを目的として契約締結時に金銭の授受を行なう、といわれているが、民法五五七条一項はこの当事者の目的に反する結果をもたらすからである。近代法の原則の例外であり、且つ、推測された当事者の目的にも反するようにみえるこの条文は何故挿入されたのであろう。この条文は、どのような社会関係を、どのような価値観にもとづいて規制することを目的として、制定されたのだろうか。

民法五五七条一項は、旧民法財産取得編二九条、三〇条(*)に起源を有する。ボアソナードはこれらの条文が財産編三二七条（「適法ニ成リタル合意ハ、之ヲ為セシ者ニ対シ、其効力法律ニ等シ。合意ハ結約者雙方ノ承諾アルニ非サレバ廃棄スル事ヲ得ス」）の例外となることに充分気附いていた（民法弁疑二四二頁以下）。それにも拘らず、同氏が――民法五五七条よりも限定された程度においてであるが――二九条・三〇条を挿入した理由は、彼自身がみとめており（民法理由書、財産取得編第二九条の部）、また、財産取得編第三〇条の文章からもあきらかなように、彼が慣習を尊重したからである。旧民法のこれらの条文は或る程度の修正をうけて民法五五七条一項となつた。民法起草委員もこの条文がもつぱら慣習にしたがつたものであると説明している（法典調査会民法議事速記録二六巻四四頁以下）。このように、民法五五七条一項が当時の慣習に起源を有することは殆ど疑いない。それでは、この手附損、倍戻しの慣行は何故存在し、どのような機能を営んでいたのだろうか。このことを明確化すれば、われわれは後に判例を整理する際の視点を得ることができよう。

民法制定当時には、わが国の多くの取引社会においては、単純な合意は拘束力をもたない、手附金が授受されてはじめて各当事者は手附金の限度で合意を履行する責任を負う、という意識が存在していたといわれる（川島・所有権法の理論七三頁）。したがつて、手附の慣習は次のような性質のものであつた、といえよう。すなわち――。この慣習は、単純な合意に拘束力が与えられている（その合意に基づいて損害賠償や特定履行を請求できる）ことを前提とする慣習ではない。そうではなくて、単純な合意には拘束力が与えられていないことを前提として、そのような社会においてその合意の内容たる行為の履行につき授受された金銭の限度で両当事者に責任を負わせる、――その限度で合意の拘束力を強める――という機能を有する慣習である、と思われる（来栖・前掲七五〇頁）。いいかえれば、この慣習は、「適法になされた合意はその効力法律と同じ」という近代法の原則とは矛盾する原則を前提として成立している慣習である。民法五五七条一項は、この慣習を「履行ノ著手」の点で若干修正し、解除権という近代法の構成を用いて明文化した規定であると思われる。

（＊）財産取得編第二九条　前四条ニ従ヒ当事者ノ雙方又ハ一方カ日後売渡及ヒ買受ノ契約ヲ取結フ義務又ハ単ニ証書ヲ作ル義務ヲ負担シタル場合ニ於テ予約ノ担保トシテ手附ヲ授受シタルトキハ契約ヲ取結フコト又ハ証書ヲ作ルコトヲ拒ム一方ハ其与ヘタル手附ヲ失ヒ又ハ其受ケタル手附ヲ二倍ニシテ還償ス

財産取得編第三十条　即時ノ売買ニ於テハ手附ハ之ヲ与ヘタル者ノ利益ノ為メニノミ解約ノ方法ト為ル但買主カ与ヘタル手附カ金銭ナルトキハ其地ノ慣習ニテ之ニ解約ノ性質ヲ付スル場合ノ外合意ニテ此性質ヲ明示スルコトヲ要ス

契約ノ全部又ハ一部ノ履行アリタルトキハ如何ナル場合ニ於テモ解約ヲ為スコトヲ得ス。

二　手附の放棄、倍戻しによる契約の解除

一　手附の放棄、倍戻しによる解除権が発生する要件

（一）　契約書の諸条項との関係

(1)　売買契約書は、しばしば、「手附金」の授受が「違約金」の約定という効果を発生させる旨を規定している。たとえば、「買主本契約ヲ不履行ノ時ハ手附金ハ売主ニ於テ没収シ返却ノ義務ナキモノトス、売主不履行ノ時ハ売主ハ既収手附金ヲ返還スルト同時ニ手附金ト同額ヲ違約金トシテ別ニ賠償シ以テ損害補償ニ供スルモノトス」という条項がその例である。この種の条項が民法五五七条一項の適用を排除する条項か否かについて判例はわかれている。

五五七条一項の適用を排除しないとした判例。

【1】　代金一〇、五〇〇円の建物売買契約が結ばれ、買主は手附金として一、〇五〇円を売主に交付した。その契約書第九条は、「買主本契約ヲ不履行ノ時ハ手附金ハ売主ニ於テ没収シ返却ノ義務ナキモノトス売主不履行ノ時ハ売主ハ既収手附金ヲ返還スルト同時ニ手附金ト同額ヲ違約金トシテ別ニ賠償シ以テ損害補償ニ供スルモノトス」と規定していた。その後、売主は二、一〇〇円を提供して契約解除の意思表示をしたが、買主は、売主は解除権を有しない、と主張し、建物所有権移転登記を求めて本訴を提起した。第一審売主勝訴。原審は、(1)、当時買主が住んでいた家屋が強制疎開の結果取毀される予定であつたことが、買主が本件建物を買受けた動機であること、および、(2)、契約書第九条を理由として、本件手附が解約手附ではないと判示し、買主を勝訴させた。売主上告。破棄差戻。

「売買において買主が売主に手附を交付したときは売主は手附の倍額を償還して契約の解除を為し得ると民法第五五七条の明定する処である。固より此規定は任意規定であるから、当事者が反対の合意をした時は其適用のないことというを待たない。しかし、其適用が排除される為めには反対の意思表示が無ければならない。原審は本件甲第一号証の第九条が其反対の意思であると見たものの様である。固より意思表示は必しも明示たるを要しない。黙示的のものでも差支ないから右九条が前記民法の規定と相容れないものであるならばこれを以て右規定の適用を排除する意思表示と見ることが出来るであろう。しかし右第九条の趣旨と民法の規定とは相容れないものではなく十分両立し得るものだから同条はたとえ其文字通りの合意が真実あつたものとしてもこれを以て民法の規定に対する反対の意思表示と見ることは出来ない。違約の場合手附の没収又は倍返しをするという約束は民法の規定による解除の留保を少しも妨げるものではない。解除権留保と併せて違約の場合の損害賠償額の予定を為し其額を手附の額によるものと定めることは少しも差支なく、十分考へ得べき処である。其故右九条の様な契約条項がある丈けでは（特に手附は右約旨の為めのみに授受されたるものであることが表われない限り）民法の規定に対する反対の意思表示とはならない。されば原審が前記第九条によつて直ちに民法五五七条の適用が排除されたものとしたことは首肯出来ない。（しかのみならず被上告人自身原審において右第九条は坊間普通に販売されて居る売買契約用例の不動文字であつて本件契約締結当時当事者双方原審の認定したる様な趣旨のものと解して居たのではなくむしろ普通の手附倍返しによる解除権留保の規定の様に解して居るものと見られる様な趣旨の供述をして居ること論旨に摘示してある通りであり其他論旨に指摘する各資料によつても当事者が右第九条を以て民法第五五七条の規定を排除する意思表示としたものと見るのは相当無理の様にも思われる）、なお原審は本件売買の動機を云々して居るけれどもそれが民法規定の適用排除の意思表示とならないのは勿論必しも原審認定の一資料たり得るものでもないとは論旨の詳細に論じて居る通りである（殊に被上告人が本件売買締結の以前から同じく京都内にある他の家屋買入の交渉をして居り遂にこれを買取つて居る事実並に本件家屋には当時賃借人が居住して居た事実被上告人子女の転校が必ずしも本件売買成立の為めであると見るべきでないこと等に関する所論は注目すべきものである）、要するに原審の挙示した資料では前記民法規定の適用排除の意思表示があつたものとすることは出来ないのであつて此点において論旨は理由があり原判決は破毀を免れない」（最判昭二四・一〇・四民集三・四三七）。

また、大審院は、次の判例では、「同契約書記載ノ条項ニ違背シタル行為アルトキハ本件契約ヲ無効トスヘク此場合ニハ売主ノ受取レル手附金ハ買主ニ返還セサルコト」という特約がある場合に、その条項には何らふれずに、手附金が解約手附の性質を有することを認めている。

【2】本件不動産を三、〇〇〇円で売買する契約が結ばれ、買主は売主に対し手附金という名で五〇〇円を交付した。その売買契約書には、前述した条項が含まれていた。その後売主は一、〇〇〇円を買主に提供して契約解除の意思表示をしたが、買主は売主の解除権を否定し、移転登記手続を請求して本件訴訟に及んだ。第一・二審買主勝訴。原審は、その理由として、解約手附の趣旨は本売買契約書からは看取できない、と判示した。売主上告。破棄差戻。

「売買契約ヲ締結スルニ当リ買主カ売主ニ手附ヲ交付シタルトキハ特別ノ意思表示ナキ限リ該手附ハ解除権ヲ留保スル性質ヲ有スルモノト認ムヘキモノトス蓋民法第五百五十七条第一項ハ此ノ趣旨ヲ規定シタルモノニシテ畢竟我国古来ノ慣習ニ依拠シタルモノニ外ナラサレハナリ本件当事者間ノ土地売買契約ニ於テ買主タル被上告人カ契約成立ト同時ニ売主タル上告人先代ニ対シ金五百円ヲ交付シタルコトハ当事者間ニ争ナキトコロニシテ其ノ契約証書タル甲第一号証（乙第二号証ト同一）ニ右五百円ハ手附金トシテ交付シタル旨ノ記載アルコトハ原院ノ認ムル所ナリ果シテ然ラハ特別ノ意思表示ナキ限リ該手附金ハ解除権ヲ留保スル性質ヲ有スルモノト認メサル可ラス然ルニ原院ハ……手附カ解除権ヲ留保スル性質ヲ有スルコトハ特別ノ意思表示ヲ俟ツテ初メテ然ルヘキモノト為シ従テ上告人先代カ……五百円ノ倍額タル一千円ヲ現実ニ提供シテ本件売買契約ヲ解除スル旨ノ申入ヲ為シタルコトヲ認メナカラ該契約ノ存続スルコトヲ認定シタルハ手附ノ

性質ヲ誤解シタル不法アリト謂ハサル可ラス」（大判昭七・七・一九民集一一・一五五二）。

そのほか、大正一一年二月三日大審院判決（新聞一九八五・二〇）では、米穀売買について、「右ノ通リ売約定候処確実也然ル上ハ前記約定ノ通リ履行可被成候若シ違約ノ節ハ該約束金流レ此証可為無効事依テ如件」という条項がある場合に、大審院は――やはりこの条項にはふれずに――手附金倍戻しによる売主の解除権を否定した原審判決を破棄差戻している。

五五七条一項の適用を排除するとした判例。

【3】　本件訴訟当事者間で本件土地を三万円で売買する契約が結ばれ、買主から売主に内金という名称で三、〇〇〇円が交付された。その契約書には「契約不履行ノ場合ニハ内金ヲ抛棄又ハ倍額ヲ弁償スルモノトス」という条項が含まれていた。その後、売主は、内金の倍額を買主に提供して、解除の意思表示をしたところ、買主は売主の解除権を否定し、本訴を提起し、所有権移転登記手続を請求した。原審、買主勝訴。売主は上告し、前記条項は契約当事者の解除権を留保したものである、と主張した。棄却。

「然レ共売買契約ニ於テ当事者間ニ授受セラレタル金員カ手附金ナリヤ内金ナリヤハ必シモ其名称ニ拘泥スヘキモノニアラサルコト洵ニ所論ノ如シト雖モ之ト同時ニ又当事者間ニ於テ「契約不履行ノ場合ハ内金ヲ抛棄又ハ倍額ヲ弁償スルモノトス」ト特約シタル場合倍額弁償ナル条項ノミニ着眼強調シ常ニ之ヲ手附契約ナリト断定スルヲ得サルヤ論ナシ原審ハ論旨摘録ノ甲第一号証末尾ノ記載ト其挙示スル各証拠トヲ綜合シテ右甲第一号証末尾ニ記載セラレタル特約ハ契約ノ履行ヲ確保センカ為メノ損害賠償並其額ヲ予定シタルモノニシテ右文言ト前記各証拠トヲ綜合スレハ斯ル認定モ之ヲ妨ケサルヘク必シモ社会通念ニ反スル不当ノモノナリト為スヘキニアラス論旨前段ハ結局原審カ其専権ニ基キ為シタル契約ノ解釈ヲ非難スルニ帰シ其理由ナ

ク……」（大判昭一六・八・六評論三〇民六九〇）。

(2)　売買契約書は、しばしば、一方当事者が契約を履行しなかつた場合には、他方当事者は、i)「手附金」額とは異なる一定の金額を損害賠償として請求しうる、とか、ii)現実に発生した損害額の賠償を請求しうる、とか規定している。この種の条項が存在する場合に手附放棄、倍戻しによる解除をなしうるか否か、についても判例は分かれている。

五五七条一項の適用を排除しないとした判例。

【4】　本件訴訟当事者間に玄米一〇〇石を一石あたり二六円で売買する契約が結ばれ、買主は一〇〇円を売主に交付した。その契約書には「金百円約定金トシテ代金ノ内受取」という文言、および、「万一約定期日ニ至リ違約延期ニ及ビ候節ハ其期日当時相場ノ計算ヲ以テ外諸掛リ共貴殿ノ御損害金御請求通リ異議ナク直ニ勘定可仕候」という条項が含まれていた。売主は玄米引渡期日前に買主に二〇〇円を提供し契約解除の意思表示をしたが、買主は売主の契約不履行により石当り一四円の損害を受けたと主張し、その賠償を請求して本訴に及んだ。第一・二審売主勝訴。買主上告。棄却。

「買主カ手附ヲ抛棄シ売主カ其倍額ヲ償還シテ契約ヲ解除シ得ルハ売買当事者ノ一方カ契約ノ履行ニ著手スル前ニ限ラルルモノナルコト民法第五百五十七条ニ徴シ明ニシテ手附金ノ授受ハ損害賠償ノ契約ト相容レサルモノニアラサルヲ以テ甲第一号証ニ「万一約定期日ニ至リ違約延期ニ及ヒ候節ハ其期日ニ当時相当相場之計算ヲ以テ外諸掛リ共貴殿ノ御損害金御請求通リ異議ナク直ニ勘定可仕候」トノ文句アルコト上告人所論ノ如シト雖モ原院カ甲第一号証記載ノ金百円ヲ以テ手附金ノ性質ヲ有スルモノト認メタルハ不法ニアラス」（大判大一〇・一一・三民録二七・一八八八）。

なお、後述する【14】の判例でも契約不履行の場合には手附金額と異なる金額を損害賠償額とする旨特約されていた。しかし、裁判所は手附放棄による解除を認めている。

五五七条一項の適用を排除するとした判例。

【5】本件不動産を四、〇〇〇円で売買する契約が結ばれ、買主は二〇〇円を売主に交付した。その際作られた不動産売買公正証書は次の諸条項を含んでいた。第二項、「買受人ハ手附トシテ金二〇〇円ヲ売渡人ニ交付シ売渡人ハ之ヲ受取リタルコト」。第五項、「売渡人ハ本契約ニ違反シタルトキハ第二項ノ手附金ヲ返還シ且ツ違約金一、〇〇〇円ヲ直チニ買受人ニ弁済スヘキコト」。第六項、「買受人カ本契約ニ違反シタルトキハ第二項ノ手附金ヲ抛棄シ売渡人ノ所得トスルノ外尚違約金一、〇〇〇円ヲ直チニ売渡人ニ弁済スヘキコト」。（したがつて、売主違約の場合は違約金は一、〇〇〇円、買主違約の場合の違約金は一、二〇〇円になる）。履行期は徒過され、その後、買主は売主に契約の履行を催告し（代金提供の有無不明）、さらに、移転登記手続を請求して本訴に及んだ。売主はその後四〇〇円を提供して契約解除の意思表示をした。第一・二審買主勝訴。売主は本件手附が解約手附であると主張して上告。棄却。

「然レトモ買主カ売主ニ手附ヲ交付シタル場合ニ於テ手附カ買主売主雙方ノ為メ解約ノ方法タルヲ以テ通常トスルモ之ヲ以テ買主ノ債務履行ヲ確保スルニ過キサルモノトシ買主カ契約ニ違反シタルトキ之ヲ抛棄シ売主ノ所得トスヘキコトヲ特約スルヲ妨クルモノニ非ス本件ニ於テ原院ハ甲第一号証ノ第二項第六項ニ依リ買受人タル被上告人カ契約ニ違反シタルトキハ手附金ヲ抛棄シ売渡人タル上告人ノ所得トスル旨ヲ特約シタルコトヲ認メ手附金カ被上告人ノ債務履行ヲ確保シタルニ過キスシテ上告人ニ於テ其倍額ヲ償還セハ契約ヲ解除シ得ル性質ノモノニ非サルコトヲ判定シタルハ原院ノ専権ニ属スル契約ノ解釈ヲ為シタルニ外ナラサレハ之ヲ不法トスル本論旨ハ理由ナシ」（大判大六・三・七民録二三・四二一）（ただし、この事件では、買主が契約の履行を催告し、さらに移転登記を請求した後で解除の意思表示がなされている）。

【6】　訴訟当事者間において本件土地の売買契約が成立し（売買代金額不明）、その際買主は二、三〇〇円を売主に交付した。その売買契約書は次の条項を含んでいた。第一条第三項。手附金二、三〇〇円也買主ハ本物件買受ケ手附金トシテ之ヲ売主ニ交付シ売主ハ正ニ受領セリ。第八条。買主ニ於テ違約シタルトキハ手附金ハ売主ニ没収シ返還ノ義務ナキモノトシ、売主ニ於テ違約シタルトキハ買主ヘ即時手附金ヲ返還スルト同時ニ手附金ト同金額ヲ違約金トシテ賠償スヘキコト。第九条。本契約ニ違背セル一方ハ其相手方ヨリ第八条ノ外ニ損害賠償ヲ求メラルルモ異議ナキコト。売主は二、三〇〇円の倍額を買主に提供し、さらに売買契約消滅確認を求めて本訴に及んだ。第一審売主勝訴。第二審買主勝訴。売主は上告し、原審が本契約書第八条、第九条を理由として本件手附金を解約手附でないと判断したのは不法であると主張した。棄却。

「然レトモ売買契約ヲ締結スルニ当リ買主カ売主ニ手附ヲ交付シタルトキハ特別ノ意思表示ナキ限リ該手附ハ解除権ヲ留保スル性質ヲ有スルモノト認ムヘキモノナリト雖原判決ハ其ノ挙示シタル証拠ニ基キ本件売買契約ニ於テ授受シタル手附ハ所謂解約手附ニ非ス却テ当事者ハ該契約ヲ解除セサルコトヲ約シ所謂違約手附ノ性質ヲ有スル契約保証金トシテ授受シタルモノナルコトヲ認定シタル上民法第五百五十七条第一項ノ規定ニ依ル本訴請求ヲ排斥シタルモノニシテ証拠上斯ル認定ヲ為シ得サルモノト謂フヘカラス而シテ原判決ハ甲第一号証ノ記載ノミニ依拠シテ右ノ如キ認定ヲ為シタルニ非スシテ乙第二号証ノ記載第一審証人前山五兵衛第一審及第二審証人木下常吉第二人(?)成山滝造、青木新三郎ノ各証言ヲ綜合シテ判断ヲ為シタルモノナルコト判文上明ナルノミナラス所論引用ノ証拠ハ必スシモ叙上ノ認定ヲ妨クルモノニ非ス論旨ハ畢竟スルニ原審ノ専権行使タル証拠判断並事実認定ヲ非難スルモノニシテ採用スルニ足ラス」（大判昭一五・七・二三新聞四六一三・九頁）。

(3)　売買契約締結と同時に交付された金銭は、「手附金」以外に、手金、内金、約定金、保証金等種々の名前でよばれる。しかし、売買契約書でこの金銭にどのような名称を附したかは、解約手附か否かを決定する決定的な要素ではない。すなわち――。

先に挙げた【4】では、契約書中に「金百円約定金トシテ代金ノ内受取」（傍点引用者）という文言が含まれていたが、裁判所は交付された金銭が解約手附の性質を有することを次のような理由で認めている。

【7】「然レトモ原院ハ甲第一号証ニハ「金百円約定金トシテ代金内受取」トアリテ金百円ハ手附金ノ性質ヲ有スル約定金トシテ授受セラレタルモノナリヤ将タ代金ノ内入金トシテ授受セラレタルモノナリヤ同号証ノミニヨリテハ不明ナレトモ其他ノ訴訟資料ニヨレハ右ノ金百円ハ手附金トシテ授受セラレタルモノナルコトヲ認ムヘキモノナリト為シタルコト原判決ニ論旨記載ノ如キ判示アルニヨリテ明ナリ」（大判大一〇・一一・三民録二七・一八八八）。

また、金銭が「保証金」として売主に交付された場合にもそれは解約手附の性質を有する、という判例（最判昭二九・一・二一民集・六四）もあるが、後述するように（後述〔31〕参照）、これは傍論である。

逆に、前述した【6】では、「手附金」という言葉が使われていたが、解約手附ではない、と判断されている。

(4)　契約書中の諸条項と手附金の放棄、倍戻しによる解除権発生の有無の関係に関するこれらの判例から、われわれは、次のような結論を導びきだせるにすぎない。

(イ)　契約締結の際に一方当事者が、一定額の金銭をどのような名義で交付したかは、少なくともそれだけでは、手附放棄、倍戻しによる解除権が発生するか否かを決定する基準にはならない。

(ロ)　「売主違約の場合には売主は受取つた手附金を倍戻しし、買主違約の場合には売主は受取つた手附金を没収する」という趣旨の条項の存否、その他損害賠償の予定に関する条項の存否も、解除権の存否を決定しない。

（ハ）　それでは、裁判所は何を基準にして解約手附か否かを決定しているのだろうか。大審院判例は、その点について次のように判示しているにすぎない。すなわち、解約手附か否かの決定は「原審ガ其専権ニ基キ為シタル契約ノ解釈」の問題であり、「契約条項ソノ他其挙示スル各証拠トヲ綜合シテ」原審がそれを決定したことは不法ではない、と。したがつて、われわれは、大審院判例からは、この点に関する何等の基準も引き出し得ない（来栖「日本の手附法」法学協会雑誌八〇巻六号七一六頁）。

（二）　交付された金銭が売買代金額に比して非常に少ない場合

裁判所は、売買代金に比べてはるかに少ない金銭が契約締結の際に交付された場合でも、その金銭の交付は民法五五七条一項の要件を満たす、と判決している。

【8】　本件不動産を九百余円で売買する旨の契約が訴訟当事者間で結ばれ、売買契約締結の際に買主から売主に六円が交付された。その後、買主は六円を放棄して契約解除の意思表示をした。売主は買主が解除権を有しない、と主張し、本訴を提起し、債務不履行による損害賠償を請求した。原審売主勝訴。買主上告。

破棄差戻。

「按スルニ民法第五百五十七条第一項ニ所謂手附ハ解除権留保ノ対価トシテ交付セラルルモノニシテ其交付セラルルモノカ金銭ナル場合ニ於テハ金額ニ付キ法律上何等ノ制限アルモノニアラス従テ金額多キトキハ手附ナルモ寡キトキハ手附ニアラスト謂フカ如キ論結ヲ生シ得ヘキモノニアラス又手附トシテ交付シタル金

額カ寡少ニシテ当事者カ容易ニ契約ヲ解除シ得ル為メ契約ノ効力ヲ薄弱ナラシムル結果ヲ来タスモ是レ法ノ認ムル所ニシテ敢テ手附ノ性質ニ反スルモノニアラス然ルニ原院ハ「解除手附ハ解除ニヨリ被解約者ノ被ムルヘキ損害補塡ノ性質ヲ具有スルモノナルコトハ民法第五百五十七条第二項ノ法意ニ照シ洵ニ明白ナレハ解除手附ハ其日的ニ副フヘク相当ノ金額ヲ授受セラルルヲ以テ取引上普通トスルニ不拘本件授受ノ金額ハ僅ニ金六円ニシテ売買代価九百余円ニ比シ実ニ百分ノ一ニモ達セサル少額ナレハ本件売買契約解除ニ基ク損害補塡トシテハ余リニ過少ナリ故ニ若シ本契約カ斯カル少額ノ金員ノ抛棄又ハ倍額ノ償還ニヨリ当事者雙方ニ任意ニ解除権ヲ行使シ得ルモノトセンカ本契約ノ解除ハ極メテ容易ニ行ハレ殆ント契約ノ成立ヲ無意義ニ終ラシムル嫌アリテ契約当事者ノ真意ニ適合セサルコト論ヲ竢タサルノミナラス云云」ト判示シ即チ手附タルニハ被解約者ノ被ムルヘキ損害ヲ補塡スルニ足ル金額ナラサルヘカラサルモノニシテ少額ノ金銭ノ抛棄又ハ倍額償還ニ因リ解除権ヲ行使シ得ヘキモノト為スカ如キハ手附ヲ認メタル法ノ精神ニ反スルカ如ク説明シ之ヲ重要ナル理由ノ一部トシテ本件当事者間ニ授受セラレタル金六円ハ手附ノ性質ヲ有セサルモノト断定シ其結果上告人ニ敗訴ヲ言渡スニ至リタルハ所論ノ如ク不法ト謂ハサルヲ得ス」（大判大一〇・六・二一民録二七・一一七三）。

(三)　「金銭の交付」以外にも一定の場合に「手附の放棄、倍戻しによる解除権」が発生するか。通常、教科書等の叙述では、「契約締結の際に金銭が交付されること」とは『買主カ売主ニ手附ヲ交付シタルトキ』という事情の存在が認められるための必要条件ではない、金銭以外の有価物が交付された場合でも解約手附の効果が発生する場合があるというのが判例の態度である」、と述べられており、その際次の二つの判例が挙げられている。

【9】　訴訟当事者間に山林売買契約が締結され、買主は——おそらく自己の所有する他の——立木を手附

として差入れた。その契約では、買主が約定期日に契約を履行しなかつた場合にはその立木は「手附流」になる旨規定されていたらしい。買主は約定期日に契約を履行せず、その後、売主に対し、手附として差入れた立木について所有権確認を求めて本訴を提起した。第一・二審売主勝訴。買主は上告して、売買契約の際に交付される手附は金銭に限られる、と主張した。棄却。

「金銭以外ノ財産ヲ以テ売買ノ手附ト為スヲ禁シタル規定ナク又其規定ヲ俟タス当然之ヲ無効ト為ス可キ法理ノ存スルコトハ之ヲ認ムル能ハス故ニ金銭以外ノ有価物ト雖モ当事者雙方ノ合意ニ依リ売買ノ手附トシテ授受スルハ之ヲ有効ト為サヽル可カラス」(大判明三四・五・八民録七・五・五二)。

【10】　訴訟当事者間に本件地所の売買契約が成立し、その際買主は売主に対する自己の貸金と自己の手附金支払債務を相殺し、手附金を交付したことにしておいた。その後売買契約は解除された(解除理由不明)。買主は解除による原状回復として手附金の返還を請求した。第一・二審売主勝訴。買主上告。破棄差戻。

「按スルニ相殺ハ債務消滅ノ一方法タルコトハ弁済ト毫モ異ナル所ナシ故ニ本件ニ於テ売買契約ハ解除セラル、モ相殺ハ依然其効力ヲ存スルコト固ヨリ論ヲ竢タス然レハ則チ原院カ売買契約ノ既ニ解除セラレ且本訴ノ手附金三百円ハ相殺ニ因リテ其債務〔手附金支払債務〕消滅シタル事実ヲ認定シタルニ拘ハラス其現金ノ授受ナキヲ理由トシテ手附金ノ返還ヲ求ムルハ原状回復ト云フヘカラスト判示シタルハ失当タルヲ免レス何トナレハ相殺ト弁済ト均シク債務消滅ノ原因ナルヲ以テ弁済ノ場合ニ在リテ原状回復トシテ手附金ノ返還ヲ求ムルヲ得ヘクンハ相殺ノ場合ニ在リテモ亦然ルヲ得ト云ハサルヲ得サレハナリ」(大判明三八・四・二二民録一一・五五四)。

これらの判例を根拠として、〈金銭の交付以外の事情が存在した場合でも、一定の場合には、手附の放棄、倍戻しにより契約を解除しうる〉、と裁判所は判断している、という結論を導びき得るだろうか。

【9】では、買主が約定期日に契約を履行しないと立木が「手附流」になる旨約定されている場合には買主が契約履行期日を徒過すれば売主は立木の所有権を取得するか否かが争点となつており、そのような約定がある場合に売主が売買代金を買主に請求しうるか否か——いいかえれば、買主が立木を拋棄して契約を解除しうるか否か——は争点になつていない。したがつて、その事件では、裁判所が立木の授受を解約手附と認定して売主の立木所有権取得を認めたのか、それとも損害賠償の予定としての手附と認定して、——売主が契約の特定履行ではなく損害賠償を選択したから、それに応じて——売主の立木所有権取得を認めたのか不明である（売主が売買代金を買主に請求し、買主がそれに対し手附放棄による契約解除を主張した場合にはじめて、本件立木授受が解約手附と認定されるかそれとも損害賠償の予約としての手附と認定されるかにより結論がちがつて来る）。それゆえ、通説のように、解約手附と損害賠償の予定としての手附を峻別する立場をとるならば、「判例によれば金銭の授受以外の方法によつても手附の放棄、倍戻しによる解除権が発生する」という結論を本判例を根拠として導びくことはできないであろう。

しかし、後にくわしくのべるように、われわれは、通説と異なり、解約手附と損害賠償の予定としての手附とを峻別する立場をとらない。むしろ、特約がない限り、手附が解約手附の性質を有するときにはそしてその場合にのみ手附は損害賠償の予定としての手附の性質をも有するべきだと考える。そのような立場を前提とすれば、立木の授受が解約手附となりうる、という結論を本判例から推測することができよう。

それに反し、【10】は、売主の手附金支払債権と買主の一定の債権を相殺した後に売主の債権の発生原因たる売買契約が何らかの事情により解除された場合に、相殺の自動債権として使われた買主の債権は復活するか、という問題に関する事件である。したがつて、この事件でも放棄倍戻しによる契約解除の可否は争点になつていない。それゆえ、「金銭の授受以外の方法によつても手附の放棄倍戻しによる解除権が発生する」と裁判所が判決している、という主張の根拠として本判例を挙げることは疑問である。

(四)　どのような場合に手附の放棄、倍戻しによる解除権の発生を認めるべきか。

ここで、どのような場合に手附の放棄、倍戻しによる解除権の発生を認めるべきか、いいかえれば、どのような場合に民法五五七条一項を適用すべきか、について簡単に考察しておきたい。

学説は、通常、民法五五七条一項を、手附が解約手附の性質を有することを推定した規定である、と解釈している。他方、「手附」という言葉は、「契約締結の際に当事者の一方から相手方に交付される金銭その他の有価物」と定義されている。したがつて、この二つの命題から、「契約締結の際に一定額の金銭もしくは有価物が交付された場合には、その交付された物の放棄、倍戻しによる解除権が発生するものと推定される」という結論が導びかれる。しかし、この結論は、あきらかに妥当でない結果を導びく。

たとえば、建設請負契約では、通常、契約締結の際に発注者から請負人に対し一定額の金額（請負代金の一〜三割）が支払われる。しかし、この金銭は解約手附の性質をもつと推定さるべきではない。すなわち、「請負人カ工事ヲ完成スル」以前に発注者が契約を解除した（民六三一）場合に発注者が支払うべき損害賠償額はこの金額により決定さるべきではないし、請負人もこの金額を倍戻しして自己の債務を免れうべきではない。むしろ、これは、経済的には融資金であり、法律的には内金もしくは金銭消費貸借（交付された金銭には場合によつては利息が付せられるし、請負人は工事進行に応じて段階的にその金を返済——請負人が支払をうける部分払金と相殺——するし、また、当事者が契約を不履行した場合の損害賠償の額は前渡金の額と無関係に特約される）と考えるべきであろう。

また、売買においても、解約手附と推定するのが妥当でない場合がある。たとえば、後に紹介するが、昭和二九年一月二九日の事件【31】は、株式売買契約が結ばれ一定額の金銭が買主から売主に交付された事件である。その事件ではその金銭が解約手附の性質を有するか否かは争点にはならなかつた。しかし、そのような事実において、その点が争点になつた場合には金銭交付が解約手附の性質を有すると判断するのは妥当ではないように思われる（理由はすぐ後にのべる）。なお、その事件において裁判所は本件手附を解約手附と推定すべしと判示している。しかし、裁判所は、その事件における手附が損害賠償の予定としての手附でないことを強調することを目的としてそのように判示したのであり、その判示は傍論である。

それでは、何故、われわれは、これらの場合に手附の放棄、倍戻しによる解除権が発生すると考えることが妥当でない、と感じるのだろうか。

すでに述べたように民法五五七条一項は当時存在した慣習を反映したものだ、といわれている。おそらく、当時の一般社会においては、人々はただの口約束だけで拘束されないと意識しており（川島・所有権法の理論七三頁）、手附の授受があつた場合にはじめて手附額の限度で拘束される（合意を履行しなかつた場合には手附額だけの責任を負う）と考えていたものと思われる。そうして、民法五五七条一項は、手附の授受があつた場合にはじめて手附額の限度で拘束されるというこの慣習を――「履行ノ著手」という制限を付して――近代法の言葉でいいあらわしたものと思われる。

したがつて、口約束だけでは拘束されず、手附の授受があつてはじめて手附額の限度で拘束される、という慣習が存在する社会において、契約締結の際に一定額の金銭が授受された場合には、民法五五七条一項を適用することはその社会の慣習になれた人々にとつては妥当であると感ぜられる。ところが、一定の取引社会では、その社会の構成員は単なる口約束も拘束力を有する、と意識している。たとえば、今日では、株式売買においては、電話一本で取引が行なわれているが、それにより成立した契約をその当事者はあらゆる手段を使つて相手方に履行させるといわれている。このような取引社会においては、金銭の授受は別の目的――融資金とか債務不履行の際の損害賠償請求権の担保等――を有している（なお一一五頁参照）。それなのに、この場合に金銭の授受という、前記の場合と同じ事実が存在することを理由として、形式的に民法五五七条一項を適用し、授受された金銭の放棄、倍戻しによる契約解除を認めれば、そのような結論は、単純な合意も強い拘束力を有する、と意識しており、且つ、一定額の金銭の授受が当然にその合意の拘束力を弱めるとは考えていない人々にとつては、彼等が慣れている考え方から導びかれる結論と矛盾し、したがつて妥当でない、と感じられるものと思われる（ただし、吉田前掲論文一六〇頁は投機取引においてむしろ解約手附が行なわれているのではないか、と推測している）。

すでにのべたように、民法五五七条一項は、合意は法律と同じ拘束力を有するという近代法の原則に反する規定であり、その根拠は一定の慣習にのみ依存している。したがつて、そのような慣習が存在しない取引社会、すなわち手附の放棄、倍戻しによる解除を認めることが妥当でないとその取引社会の人々が感じるような取引社会においては民法五五七条一項を適用すべき根拠は少しもない。それゆえ、そのような場合には——慣習の有無の決定は困難な問題であろうが——一定額の金銭の授受があつても解除権の発生を推定すべきではないであろう。

次に手附放棄、倍戻しによる解除権の発生が推定される取引——たとえば、仲介業者が仲介する普通の不動産売買はその最も適当な場合であろう——においても、当事者が特にこの解除権を発生させない合意をすれば、いうまでもなく、この解除権は発生しない。そこで、どのような事実が存在すれば解除権不発生の合意があると認めらるべきかが問題になる。

（イ）「買主本契約ヲ不履行ノ時ハ手附金ハ売主ニ於テ没収シ返却ノ義務ナキモノトス。売主不履行ノ時ハ売主ハ既収手附金ヲ返還スルト同時ニ手附金ト同額ヲ違約金トシテ別ニ賠償シ以テ損害補償ニ供スルモノトス」という条項は、この趣旨の合意であると考えられるべきであろうか。

最高裁の判旨はこの条項を次のように解釈している。すなわち――。この条項は手附金が損害賠償の予定として機能する旨定めた条項である。しかし、この条項は民法五五七条一項の適用を排斥するものではない（〔1〕の判旨）。それに対し、一部の学説はそれを批判し、本条項は損害賠償の予定としての手附について規定したものであり、且つ、民法五五七条一項の適用を排斥する趣旨である、と解釈している（加藤・債権教室二一〜二二頁、広中・民法の基礎知識一四五頁）。これらの解釈は、いずれも、このような条項を契約書に挿入する際に当事者や不動産業者が意図していたことを正しく把握していないと思われる。その理由はこうである。

第一に、最高裁判旨の解釈によると――五五七条一項が適用される場合には、「履行ノ著手」迄は、各当事者は不履行当事者に対し手附金額と異なる金額を請求しえないのだから――この条項は、「履行ノ著手」後に損害賠償を請求する場合におけるその金額を予定した条項だ、ということになる。しかし、「契約のときに金銭さえ交付しておけば五五七条一項により当然解約手附と推定されるからその点については何ら規定する必要はない、他方、「履行ノ著手」後の債務不履行に対する損害賠償額の予定については民法には何ら規定がないから特に本条項により特約する必要がある」、という考えにもとづいて契約を締結するほど、当事者や不動産業者が法律にくわしいとはとても考えられない

（「履行ノ著手」という観念自体が大部分の業者の頭の中にはないようである）。

それでは、本条項は違約手附を規定したものであり、且つ、民法五五七条一項を排除する趣旨である、という解釈はどうであろうか。当事者が五五七条一項を排除する意図でこの条項を挿入しているのではないことも恐らく疑いないところである。その理由はこうである。仲介業者が使用している不動産売買契約書のヒナ型には、ほとんど例外なしに、この種の条項が含まれている。他方、不動産仲介業者の仲介により行なわれる不動産売買は、おそらく、手附金の抛棄、倍戻しによる解除がもつとも抵抗なく受入れられている分野であろう。それなのに、当事者がこの条項をこのような意味で使用していると仮定するならば、手附金の抛棄、倍戻しによる解除がこのようにスムーズに受入れられていることをまつたく説明できないであろう。また、直接不動産業者に聞いてみても、手附金の抛棄倍戻しによる契約解除権がこの条項によりまつたく排除される、という意識は彼らにはないようである。「不動産の取引」における不動産業者の発言（不動産の取引六七頁以下）も、彼らがそのように考えていないことを推測させる。むしろ、この条項があつても手附損倍戻しにより解除できることを前提として、特に解除を防ぎたい場合には、手附金額を多くしたり（不動産の取引六八頁、七四頁）、「本契約は甲乙共一方的に解除することはできない」という条項を特に挿入したり（一八五頁参照）しているようである。したがつて、この条項が民法五五七条一項の適用を排除する趣旨を含むと解釈することは、少なくとも当事者の意思に反するであろう。

この条項は、元来手附に関する慣習を表示していたものであり、今日でも、解約手附の趣旨を表示した条項だと一般に考えられているのではないだろうか。たとえば、【1】では最高裁は、「〔当事者は〕普通の手附倍戻しによる解除権留保の規定のように〔本条項を〕解していた〔ように思われる〕」と判示しているし、また「本条項は民法五五七条の「履行ノ著手」の制限を排除する特約だ」という主張がしばしば裁判所で行なわれている（たとえば〔24〕）。また、不動産業者に直接尋ねてみても、彼らはこの条項にもとづき手附抛棄倍戻しによる解除をなしうると考えていると答える。さらに、本条項をこのように解釈すれば、不動産取引社会において手附損倍戻しがスムーズにうけ入れられていると同時に、契約書ヒナ型にほとんど必ずこの条項が挿入されていることも説明できよう。

　このように、解約手附を表示した条項であるとこの条項を解釈した場合に直ちに問題となるのは、「それではこの条項は「履行ノ著手」の制限を排除する特約なのか」ということである。われわれはその点を次のように考える。元来は、「手附金が授受された場合にはじめてその金額の限度で各当事者は契約を履行する責任を負い、逆にその限度でしかその責任を負わない」というのが手附の慣習であり、この条項はそれを表示していたと考えられるから、この条項は元来は、「履行ノ著手」の制限を排除するものであつたのであろう。しかし、現在では、当事者の責任の限度はどんな場合であれ手附金額に限られるのだ、という意識は少しうすれており、したがつて、「履行ノ著手」という特別の事態が生じたときでもこの条項により不履行当事者は手附損倍戻しすれば契約解除できるのだ、と迄明確には考えられていないようである。もし、そうだとすれば、この条項は「履行ノ著手」の制限を排除する特約ではない、と考えるべきである（詳しくは一五八頁）。

「履行ノ著手」の制限を排除する特約ではないとこの条項を解釈した場合に、さらに問題となるのは、本条項が損害賠償の予定をかねるか否かである。この点は一六七頁で述べる。

（ロ）授受された以外の金額を損害賠償額とする旨特約したり（【5】）、現実に生じた損害額を賠償すべき旨特約したり（【4】）する場合がある（一二五頁でのべる・追加手附金に関する特約も形式的にはこの類型に入る、けだし、契約締結時に授受される金額と異なる金額＝追加手附金をも含めた金額が賠償額と定められているのだから。しかし、これは取引形態が特殊であるから別個に考えるべきであろう。）。この種の条項についても、前記条項の場合と同様三通りの解釈が可能である。

(1) 最高裁判旨の解釈に対応する解釈はこうである。この条項は「履行ノ著手」後に一方当事者が債務不履行した場合における損害賠償額について規定した条項であり、したがつて、民法五五七条一項の適用を妨げるものではない。(2) 加藤教授等の学説の解釈に対応する解釈はこうである。本条項は五五七条一項の適用を排除する。合意で定められた行為を一方当事者が行なわない場合には、――「履行ノ著手」前であつても――相手方当事者は損害賠償を請求するか、特定履行を請求するか、を選択しうることを前提として、本条項はその場合に前者が選択されたときの損害賠償額について定めた条項である。(3) 各当事者は、少なくとも「履行ノ著手」迄は、本条により予定された金額または実損額を支払えば契約を解除できることを本条項は規定している。

これらの内、(1)の解釈は――当事者の意思を解釈の基準にするかぎり――排除さるべきであろう。

何故ならば、この場合に(1)の解釈を採ることには、最高裁判所の解釈と同様な困難が存在する外に、次のような困難が存在すると思われるからである。

この解釈によると、手附金を授受すれば民法五五七条一項により「履行ノ著手」迄は各当事者が契約を解除できることを承認した上で各当事者は「履行ノ著手」後の損害賠償額を特約したことになる。しかし、そのようなことは実際にはありそうにもない。何故ならば――。一般にこの種の条項を挿入する目的は、この合意で定められた行為の履行をできるだけ確実にすることにあると思われる。ところが、この解釈によると、「履行ノ著手」迄は手附の放棄、倍戻しによる解除を行ないうること――すなわち、手附金の授受により単純な契約が結ばれた場合よりも契約の拘束力がよわめられることを――みとめながら、「履行ノ著手」後についてだけこのような特に強い拘束力を望むことになり、それは普通にはありそうにないからである。したがつて、一般にこの種の条項を(3)のように解釈することは妥当でないであろう。

それでは、(2)の解釈と(3)の解釈のうち、いずれが採用さるべきであろうか。単なる手附金の授受の場合よりも契約の拘束力を強めることがこの種の条項を挿入する目的である、と考えられるから、この場合には(2)の解釈を採るべきであろうか。

ところで、締結時に授受された金額以外の金額または実損額を賠償すべき特約がある場合には、(2)(3)いずれの解釈をとつても、授受された金銭は違約当事者の責任の限度を画す機能を有しない。また、手附慣習のない取引社会において締約時に授受された金銭も同じである。それでは、それらの金銭の機能は何だろうか。その機能は通常は、i)「当事者にビジネスの気分を呼びおこし、法律家的意識をめざまし、熟慮をうながし、決定の真面目さを担保する」（来栖・前掲七六〇頁）、ii)一方当事者の債務不履行により契約が解除された場合に最少限度の損害賠償額となる（たとえば売買代金五千二百万円手附金三百万円の契約に含まれている左の条項はその適例であろう。「乙（買主）が本契約を履行しないときは甲（売主）は何等の手続を要しないで違約金として手附金を没収し、甲が履行しないときは甲は乙に既収の手附金を直ちに返還すると同時にこれと同額の金額を違約金として支払う。なお前項の場合に乙又は甲が「その額以上の」損害を被ったときは其の実額を相手方に請求できる」）、iii)買主違約の場合の違約罰になる（〔5〕の判旨参照）、等であろう（ii)とiii)は選択的である）。わが国では証拠方法として機能する手附を証約手附と呼んでいるけれども、i)ii)iii)の機能を有する金銭を証約手附と呼んではどうであろうか。これはドイツや英米の用語法に合致すると思われる（来栖・前掲七三八〜七四二頁）。内金との関係は一八五頁に述べる。

二　契約締結後に、さらに、一定額の金銭が交付されたことが発生させる法律効果

不動産売買等では、売買契約締結時に交付された金額を全代金額から控除した残額が契約完了時に一時に支払われるとは限らないのであつて、その残額はしばしば数回に分けて支払われる。その支払われる態様には数種あるが、ここで問題となるのは次の二つの場合である。

（イ）　契約締結の際に、買主が売主に一定額の金銭を第一次手附金として交付し、その後に、さらに、追加手附金として一定額の金銭を交付した場合。通常、追加手附金は契約締結後一週間か十日以内に支払われるべき旨定められており、また、手附金の合計は全代金額の三割程度である。

（ロ）　売買契約締結の際に買主が一定額の金銭を手附金として売主に交付し、その後、さらに、中間金として一定額の金銭を交付した場合。

このような場合に、手附の放棄、倍戻しによる解除権に関連していくつかの問題が生じる。

(1)　（イ）の場合には、通常、契約書の中に、「契約締結後一方当事者が契約に違反した場合には、相手方当事者は第一次手附金額プラス追加手附金額の合計を違約金として請求しうる」という趣旨の条項が含まれている。この場合に、各当事者は、追加手附金の交付前には、第一次手附金だけを放棄、倍戻しして解除できるのだろうか。それとも、追加手附金額をも含めた金額が放棄もしくは倍戻しさるべき「手附金額」になるのだろうか。

(2)　次に、（イ）、（ロ）、の場合において、買主が、追加手附金、中間金を支払つたとする。その後は、各当事者は、i)、契約締結時に授受された金銭（(一)の場合は第一次手附金、(二)の場合は手附金）だけ放棄、倍戻しすれば契約を解除できるのか、ii)、追加手附金、中間金を含めて放棄、倍戻しすれば契約を解除できるのか、iii)、追加手附金、中間金の交付は「履行ノ着手」にあたり、したがつて、それ以後は解除できないのか。

(1)の問題については、昭和三五年七月二九日名古屋地裁の次の判例がある。

【11】　本件土地につき四〇一万三、一〇〇円の売買契約が結ばれ、その際買主は同土地につき売買予約の仮登記仮処分をした。その契約は次のように規定していた。(イ)。手附金は四八万円とする。その内金として買主は一六万円を契約締結の際に売主に支払う。残手附金三二万円は昭和三三年一二月二五日に支払う。(ロ)。残代金の内、七二万円は昭和三四年一月三一日に支払う。(ハ)。残金三二九万円余は五月上旬に移転登記と引

換えに支払う。売主は一二月二五日に既に受領した手附金の倍額三二万円を買主に提供し、契約解除の意思表示をしたが、買主がそれを受領しないので同金額を供託した。他方、買主は、その翌日、残手附金三二万円を売主に提供し、売主が受領しないのでそれを供託した。ついで、売主は一月五日さらに三二万円を供託して、売主が供託した金額合計六四万円を買主が取得し、さらに買主が供託した三二万円を買主自身が取戻すことにより、手附金四八万円の倍戻しに充てられたいと通知した。しかし、買主は本訴を提起し、本件土地の移転登記、引渡を請求した。買主勝訴。

「〔三十二万円提供による解除について〕原告等主張の請求の原因たる事実は当事者間に争いがない。よつて被告等主張の抗弁につき審究せんに一般に手附は特別の意思表示なき限り解除権を留保する性質を有する解約手附と認むべきものであり、本件手附について原告等所説のごとく証約手附と解すべき特別の意思表示のなされたことを認むるに足るべき証拠も格別ないので右手附は解約手附であると認定すべく、又前記金四十八万円は被告等所説の如く単なる手附の予約にして内金十六万円が手附であるものと認むべき証拠なく、却つて当事者間に争なき前記認定の事実によれば右手附金の弁済期が前記認定の如く二回に分割せられておるに止りその額は金四十八万円と明定せられていることが明らかである。

よつて、被告富坂喜代造が原告等に対し、昭和三十三年十二月二十六日前記説示のごとく、かねて原告等より交付を受けし前記手附金の内金十六万円の倍額である金三十二万円を供託して右当事〔者〕間における前記売買契約を解除する旨の意思表示をなしたことは当事者間に争はないけれども、右金員の供託をもつて、右手附の倍戻となし難いので、右解除の意思表示は無効という外はない。

〔九六万円提供による解除について〕然るに供託法第八条第二項によると供託者は民法第四百九十六条の規定によれること、供託が錯誤に出でしこと又はその原因が消滅したことを証明するにあらざれば供託物を取戻すことを得ずと規定せられ、又民法第四百九十六条第一項によると債権者が供託を受諾せず又は供託を有効と宣告したる判決が確定せざる間は弁済者は供託物を取戻すことを得。この場合においては供託をなさざりしものと看做す、と規定せられており、被告等の右に所謂便宜原告等において取戻すべき旨の意義がその何れなるやは不明なるも原告等の供託にかかる右金三十二万円を原告等において便宜取戻すためには所詮右供託の効力を否定する方途に出づる外ないので、原告等において被告富坂喜代造の右申入を任意諒承すれば格別記録上明らかなように其の意に反して右取戻すべき金員が右手附倍戻の金員の一部として適法に（現実乃至言語上におけるものとして）原告等に提供せられたものとは解し難いので被告等主張の手附倍戻による右売買契約の解除の意思表示も亦無効と断ずる外はなく、被告等の該抗弁は理由のないものとして排斥する」（名古屋地判昭三五・七・二九判時二四九・八一〇〇）。

この判決によると、追加手附金の授受以前でも、第一次手附金だけの放棄、倍戻しでは各当事者は契約を解除できない。しかし、この結論は、前述した「解約手附」の沿革を前提とすると妥当でないように思われる。その理由はこうである。既に述べたように、「手附が授受されれば、各当事者はその金額を放棄、倍戻しして契約を解除しうる」という文章は、「合意の際に一定額の金銭が授受された場合には、各当事者は、その金額の限度で合意を履行する責任を負う」という慣習を別の仕方で表現したものである。そうして、各当事者がこの慣習上、その金額の限度で合意を履行すべき責任を負う理由は、その金額の金銭が現実に授受されたからであり、したがつて、その責任の限度は現実に授受された金額に限定される。民法における、手附の放棄、倍戻しによる契約解除権はこのような慣習の表現であるから、各当事者は既に授受された金額を放棄、倍戻しして契約を解除できなければならない。勿論、当事者は、特約によりこれと異なる定めをすることができよう。しかし、それは、そのことが明確に表示されている場合に限るのであつて、単に、手附金内金、追加手附金と表示されているのでは充分でないであろう。したがつて、本件のような場合には、手附金内金だけの放棄、倍戻しによる契約解除をみとめるべきであろう（来栖・前掲七五二頁、太田「不動産の売買」ジュリスト一七八号二頁以下。反対、玉田弘毅「不動産の売買」契約法大系Ⅱ二〇二頁）。

次に(2)の問題についてはどうであろうか。大正一一年九月四日の大審院判例は、そのような場合に、契約締結の時に授受された金額だけを放棄、倍戻しして契約を解除することはできない、と判決している。

【12】 本件不動産の売買契約締結の際に、買主は二、三〇〇円を売主に交付した。その契約書には、「大正九年一月八日手金として金二千三百円也正に受領大正九年一月二五日七千七百円也申受可尚同年三月八日四万五千申受け直に移転登記可致契約に候事万一右期間内に御履行なき場合は当然手金は返戻不致拙者随意処分可致契約也云々」という条項が含まれていた。買主はその後数回に分け五千七百円を支払つたが、残金を支払わなかつた。買主は、後に支払つた五、七〇〇円の返還を求めて本訴に及んだ。第一審買主勝訴。第二審売主勝訴。買主は上告し、最初に交付した二、三〇〇円だけが手附金であると主張した。棄却。

「然れども原審に於て被上告人（控訴人被告）は当事者間に手附金を一万円とする約定あり其中売買契約成立の日に二千三百円を其後に五千七百円を受取りたることを主張し原判決は其の主張を容れ当事者間に一万円を手附金とする合意ありて其の合意に基き内金二千三百円は売買契約の日即大正九年一月八日に内金百八円は同月九日に内金千二百円は同月十八日に内金四千円は同月二十九日に授受せられたることを認めたる

ものなるを以て右の金額に付ては合意と金銭の授受とを具備し手附契約が要物契約たる法則に違反すること なく又手附契約は売買其の他の契約に従たる契約なれども必ずしも主たる契約と同時に成立することを要す るものに非ざるを以て売買契約成立後に授受せられたる金五千七百円をも手附金なりと認定したるは違法に 非ず而して又甲第一号証に「云々右期間内に御履行なき場合は当然手金は返戻不致云々」……… の記載ありと雖此等の記載は其の証書作成当時たると其の後たるとを問はず授受を了したる手附金に関して 為されたるものと解することを得べきを以て原判決の手附金に関する事実の認定に違法あることなく論旨は 其の理由なし」(大判大一一・九・四新聞二〇四三・一〇)。

それでは、各当事者は「手附金プラス中間金」を放棄、倍戻しすれば契約を解除できるのだろうか。それとも、「中間金」の授受は「履行ノ著手」にあたり、したがつて、各当事者はもはや解除できないのであろうか。昭和四年一〇月四日の朝鮮高等法院の判例は、中間金の授受は「履行ノ著手」にあたると判示している。この事件は中間金の放棄倍戻しによる解除が問題となつた事件ではないけれども、この考え方によるとそのような解除も認められないことになろう。

【13】　本件訴訟当事者間に本件土地を二、四〇〇円で売買する旨の契約が結ばれ、買主は即日手附金として二〇〇円を支払つた。その際、当事者間で「若シ売主ニ於テ右手附金ノ倍額ヲ買主ニ償還スルトキハ右売買契約ヲ解除シウル」旨定められた。その後、買主は残代金支払期日前に売主に八〇〇円を支払い、売主は異議なく受領した。売主は右手附金の倍額四〇〇円および八〇〇円ならびにその利息を買主に提供して、契約の解除を求めたが、買主はそれを拒否し、本訴を提起して契約の履行を求めた。原審売主勝訴。買主上告。朝鮮高等法院は、「原告カ残代金二千二百円中八百円ノ弁済ヲ了シタルハ即民法第五百五十七条ニ所謂契約

ノ履行ニ著手シタルモノト謂フヲ妨ケス」という理由で原判決を破棄差戻した（朝鮮高判昭四・一〇・四評論一九・民六六）。

また、昭和一四年八月二九日の朝鮮高等法院の判例（評論二九民二〇五）も——事実がよくわからないが——同趣旨の判例である、と思われる。

それに対し、昭和八年一月一四日の大審院判決では、「本契約買主ニ於テ不履行ノ場合ハ〔売主カ〕金一千円ヲ仕払ハサルモ買主ニ於テ何等異存無之キ事」という特約条項を根拠として、買主は、中間金を支払つた後でも、一、〇〇〇円を放棄して契約を解除できる旨判決している。

【14】 本件不動産を四、〇〇〇円で売買する契約が本件被告と訴外A間に結ばれ、その際、買主Aは一五〇円を売主に交付した。その売買契約書には、「買主は三月五日に一、〇〇〇円支払うこと」。「買主は四月二〇日に残金二、八五〇円を所有権移転登記手続と同時に支払うこと」。「売主不履行の場合には買主は一、〇〇〇円の倍額を買主に提供すること」。「買主不履行の場合には売主が一、〇〇〇円を支払わさるも買主において何等異議なきこと」という約定がなされた。その後、買主は六月一四日迄に数回にわたつて合計一、九三七円四〇銭を売主に支払つた。しかし、買主は八月三〇日に行なわれる予定であつた移転登記残金支払期日（四月二〇日から延期されていたものと思われる）を懈怠した。その後、買主の地位を引継いだ本件原告は、一、〇〇〇円を放棄して契約を解除する意思表示を行ない、売主に対し既払金中一、〇〇〇円を越える部分の返還を請求したのが本件である。第一審買主勝訴。第二審売主勝訴。買主上告。破棄差戻。

「案スルニ手附ハ種々ノ目的ノ為ニ交付セラルルモノニシテ其ノ目的ヲ異ニスルニ従ヒ其ノ性質及効力モ亦自ラ相異ナラサルヲ得スト雖孰レモ契約ノ成立ヲ証明スル目的ヲ兼有スルヲ通常トスルカ故ニ反証ナキ限リ契約ノ成立ト同時ニ現実ニ授受セラルルモノナリト解スルヲ相当トス仍テ本件ニ付之ヲ観ルニ訴外石塚金

十郎ハ昭和四年二月二十六日被上告人（控訴人被告）ヨリ本訴不動産ヲ代金四千円ニテ買受ケ即日内金百五十円ヲ支払ヒ残代金ハ同年三月五日ニ金一千円同年四月二十日ニ残余ノ金二千八百五十円ヲ所有権移転登記手続ト同時ニ支払フヘキ旨契約シタルコト及其ノ後同年六月十四日マテノ間同訴外人ハ最初ニ支払ヒタル金百五十円ヲ加ヘテ数回ニ金千九百三十七円四十銭ノ支払ヲ為シタルコトハ当事者間ニ争ナキ旨原審ノ判示スルトコロナルヲ以テ斯クノ如ク契約ノ成立ト同時ニ授受セラレタルニ非ス且手附ナルコトヲ示スコトナクシテ交付セラレタル金一千円ヲ以テ手附金ナリト解スルハ極メテ異例ニ属スルモノト謂ハサルヲ得ス然リ而シテ原判決ノ援用ニ係ル甲第一号証ノ二「本契約甲（売主）ニ於テ不履行ノ場合ハ金一千円ノ倍額ヲ乙（買主）ニ提供スルコト乙ニ於テ不履行ノ場合ハ金一千円ヲ仕払ハサルモ乙ニ於テ何等異存無之キ事」ナル記載ニ徴スレハ本件不動産ノ買主タル訴外人カ金一千円ヲ売主タル被上告人ノ所得ニ帰セシムルニ於テハ契約ノ履行ニ着手シタル後ニ於テモ同訴外人ハ其ノ履行ヲ終ルマテハ何時ニテモ売買契約ヲ解除スルコトヲ得ヘキ旨被上告人トノ間ニ契約シタルモノナリト解スルハ実験則上寧ロ当然ノ事理ナルヲ以テ他ノ証拠資料ヲ綜合スルモ斯ル書証ハ以テ当該判示事実ヲ認定スルニ足ラサルニ拘ラス原審カ其ノ然ル所以ヲ首肯セシムルニ足ル十分ノ理由ヲ示スコトナク当事者間ニ授受セラレタル金員中一千円ハ民法第五百五十七条ノ規定ニ準拠スル主旨ニ於テ交付セラレタル手附金ナル旨ヲ判示シタルハ竟ニ適法ノ範囲ヲ逸脱シテ訴訟資料ノ取捨解釈ヲ為シタル違法アルカ然ラスンハ理由不備ノ違法アルヲ免レス」（大判昭八・一・一四裁判例(七)民四）。

三　解除権行使の要件

契約当事者が手附の放棄、倍戻しによる解除権を行使する要件として問題となつているのは、(a)売主が解除する場合に手附の倍額を提供する必要があるか、および、(b)必要があるとすれば、どのような行為が提供になるのか、である。

（一）提供の要否

売主は解除権行使の要件として受取つた手附金の倍額を買主に提供しなければならない。「履行ノ著手」前に単に解除の意思表示をしただけでは契約は解除されない。

【15】 本件地所売買契約の際に、買主は一〇円を売主に交付した。その後、売主は契約を解除する意思表示をしたが、買主は「所有権取得登記手続」を請求して本訴に及んだ。第一審買主勝訴。原審は、売主が契約解除の意思表示をしたこと、および、それは買主が契約の履行に著手する以前であつたことを認定して買主を敗訴させた。買主は上告し、売主は手附金の倍額を弁済していないと主張した。破棄差戻。

「按スルニ民法第五百五十七条第一項ニハ「前略買主ハ其手附ヲ抛棄シ売主ハ其倍額ヲ償還シテ契約ノ解除ヲ為スコトヲ得」トアリテ文理上容易ニ買主ノ解除権ハ手附ノ抛棄ヲ条件トスル解除権タリ売主ノ解除権ハ手附ノ倍額ノ償還ヲ条件トスル解除権タルコトヲ看取シ得ヘキノミナラス元来同条ノ規定タルヤ手附ノ授受ニ関スル当事者ノ意思明白ナラサルトキハ買主ハ手附ノ抛棄タニ為セハ契約ノ履行ヲ為ササルコトヲ得売主ハ手附ノ倍額ノ償還タニ為セハ契約ノ履行ヲ為ササルコトヲ得ルノ意思ヲ以テ当事者間ニ手附ノ授受ヲ為シタルモノト看做スヲ至当ナリトシ買主又ハ売主ハ手附ノ抛棄又ハ倍額ノ償還ヲ為シテ契約ヲ解除スルノ権利アル旨ヲ規定シタルモノナリ故ニ手附ノ抛棄又ハ倍額ノ償還ハ解除権ノ内容ヲ成シ買主又ハ売主ハ手附ノ抛棄又ハ倍額ノ償還ヲ為スニアラサレハ契約ヲ解除スル能ハサルモノトス買主又ハ売主ハ自由ニ契約ヲ解除シテ之ヲ履行セサルコトヲ得其不履行ノ制裁トシテ手附ヲ喪失シ又ハ倍額償還ノ義務ヲ負担スルモノニアラサルナリ是ニ由テ之ヲ観レハ売主ハ手附倍額ノ償還ヲ為スニアラサレハ契約ヲ解除スルノ権利ナキモノトス勿論償還ト云フモ売主ノ為スヘキ行為以外ヲ之ニ強ユルノ謂ハレナキヲ以テ売主ハ手附倍額ノ償還ノ提供ヲ為シテ契約解除ノ意思ヲ表示スレハ契約ヲ解除スルニ十分ナリト雖単純ニ契約解除ノ意思ヲ表示シタルノミ

ニテハ契約解除ノ効力ナキモノトス」（大判大三・一二・八民録二〇・一〇五八）。

【16】　本件訴訟当事者間に本件不動産を九、七〇〇〇円で売買する契約が結ばれ、売主は買主から一、〇〇〇円の交付を受けた。その後、売主は契約の履行期前に買主に対し契約解除の意思あることを表示し、円満解除方を求めたが、買主はそれを峻拒した。契約履行期日に買主は自己の債務の提供をし、売主の契約履行を求めて本訴に及んだ。（売主は買主が代金支払の提供をした翌日二、〇〇〇円を供託した）。第一審買主勝訴。第二審売主勝訴、買主上告。破棄差戻。

「上告人ハ自ラ履行ニ著手スル迄ハ〔売?〕主源三カ何時ニテモ手附ノ倍額ヲ償還シテ契約ヲ解除スルコトアルヘキ事ヲ予期スヘキモノナルカ故ニ源三カ将来契約ヲ解除スヘキ旨予メ通知スルモ之ニ因リテ上告人ノ法律上ノ地位ニ何等ノ変動ヲ来スヘキモノニ非スサレハ源三カ未タ現実ニ手附ノ倍額ヲ提供シテ解除ノ意思表示ヲ為シタルコト又ハ法律上之ト同視スヘキ事実ナキ間ニ上告人既ニ契約ノ履行ニ著手シタルトキハ源三ハ之ニ因リ手附ノ倍額ヲ償還シテ契約ヲ解除スルコトヲ得ヘキ権利ヲ失ヒタルモノト云ハサルヘカラス然ルニ原審ノ更ニ説示スル所ニ依レハ被上告人等ハ昭和十三年九月中上告人ニ対シ契約解除ノ意思アルコトヲ表示シテ円満解除方ヲ求メ之ヲ峻拒シタル上告人ハ履行期タル同年十一月十五日頃迄ニ手附倍額ノ償還アルヘキコトヲ予期シ居リタルコトヲ窺知シ得ルモ源三カ契約解除ノ意思表示及手附倍額償還ノ提供ヲ為シタルハ上告人カ既ニ契約ノ履行ニ著手シタル後ナリトスサレハ是ニ因リテハ契約解除ノ効力ヲ生スヘキ理由ナキニ拘ラス原審カ上告人ノ履行著手前源三カ手附倍額償還ノ提供及契約解除ノ意思表示ヲ為シタル事実又ハ之ト同視スヘキ事実アリタルコトヲ認定スルコトナク上告人ノ履行著手後ニ為サレタル右手附倍額償還ノ提供及解除ノ意思表示ニ因リテ本件売買契約解除ノ効力ヲ生シタルモノト為シ以テ上告人ノ本訴請求ヲ排斥シ去リタルハ畢竟法律ノ解釈ヲ誤リテ審理ヲ尽ササルノ違法アルモノト云フノ外ナク論旨理由アリ」（大判昭一五・一一・二七新聞四六五〇・九）。

このように、大審院判例によれば売主の解除権行使の要件としては手附倍額の提供を必要とする、と判示されているが、下級審には、特定の事情が存在する場合に、手附金倍額の提供を必要としない旨判示している判例がある。

【17】　大阪法務局南側司法書士事務所およびその敷地を買受ける契約が本件当事者間に締結され、その際買主は三万円を売主に交付した。ところで、その敷地は大阪法務局新設にともない、売主を含む司法書士三〇名が共同で購入した土地であり、事務所を新築する際に、全員は、協約をもつて、「他日申合人が事務所を第三者に対し処分するときは予め他の総申合人の承諾を得ること。若し過半数の承諾を得ることができない場合には処分しようとする者は他の総申合人に対し時価で買取を請求しうること」を定めていた。それゆえ、売主は司法書士会員の承諾を得られない場合を予測して、契約締結の際に買主にその事情を告げ、売買目的物の引渡時期等は他日売買当事者双方で協議する旨定めておいた。その後、売主が司法書士会員の承諾を求めたところ、申合人はこぞつて売主が買主に本事務所を譲渡することに反対したので、売主は買主にその事情を告げ、買主から受領した手附金だけを返還して本件売買契約を解除する意思表示をした。しかし、買主は売主の解除権を認めず事務所引渡を請求して本訴を提起し、売主は手附金の倍額を提供していないと主張した。買主敗訴。

「別段の特約ない限り売買契約の売主がいづれかの一方が売買の履行に着手する以前手附金授受の契約により留保した解除権を相手方買主に対し行使するためには買主より受領した手附金倍額を現実に提供することを要することは勿論であるけれども、右に認定したように売買契約の締結に当つて将来売買を履行することの困難な事情が必然に発生することのある場合を予め告知して手附金授受の契約をするときにおいて右予測した履行を困難ならしめる事由が発生したため売主被告において買主原告に対し手附金の倍額を償還することの宥恕を求めるものと考えるにつき相当の理由あるものと認められるときは、売主被告が買主原告に対し本件手附金の倍額を現実に償還しないでした右売買契約解除の意思表示を全く無効のものと解すべきではなくむしろ前示解除の意思表示は有効であってこれにより本件売買契約は適法に解除せられ原告は被告に対し先きに被告に交付した前示手附金三万円の倍額の償還を請求することができるものと認めるが相当である」（大阪地判昭二八・一二・二二下級民集四・一二・一九一五）。

（二）　どのような行為が「提供」にあたるか。

この点については、(a)、提供を受ける者が「予メ其受領ヲ拒」んでいる場合——たとえば交付された金銭が解約手附の性質を有しないと主張している場合——には、売主は単に言語上の提供さえすれば充分なのか。(b)、現実の提供を必要とする場合に、どのような行為が現実の提供にあたるか、という問題がある。前者については判例が見あたらなかつた。後者については、郵便為替の送付も適法な提供になる、と判示している判例がある。

【18】　立木の売買契約の際に買主は売主に二〇〇〇円交付した。その後、売主はその倍額を買主に償還する目的で四〇〇〇円の郵便為替証書を買主に送付し、さらに内容証明郵便をもつて、手附金の倍額を償還して本件立木売買契約を解除する旨の意思表示をした。しかし、買主はその郵便為替の受領を拒否し、それを売主に返戻し、立木所有権の確認を請求して本訴に及んだ。第一・二審売主勝訴。買主上告。棄却。

「郵便為替証書ハ現金ト同視スヘキヲ相当トスルヲ以テ被上告人ニ対シ手附ノ倍額ヲ償還シテ契約ノ解除ヲ為スニ当リ上告人住所ニ手附ノ倍額ニ相当スルノ金額ノ郵便為替証書ヲ送達シタルコトハ適法ナリト謂ハサルヘカラス而シテ手附倍額ノ償還ハ之カ提供ヲ為スヲ以テ足リ相手方ニ於テ其ノ受領ヲ拒絶シタル場合ニモ敢テ供託ヲ為スノ必要ナキコト当院ノ判例トスルトコロナルヲ以テ（大正二年（オ）第六三三号同三年十

二月八日言渡当院判決）原審カ之ト同一見解ノ下ニ被上告人カ叙上ノ如ク郵便為替証書ヲ送達シテ契約解除ノ意思表示ヲ為シタルニ因リ売買契約解除ノ効力発生シタリト為シタルハ正当ナリ」（大判昭一五・七・二九全集七・一一六五）。

また、先に紹介した【11】では、買主が供託した金銭を取戻すべき旨売主が買主に通知することは、適法な提供にならない、と判示されている。

四 解除権の消滅

（一）「履行ノ著手」にあたる事実の発生による消滅

(1) どのような事実が「履行ノ著手」にあたるか。

いうまでもなく、「履行ノ著手」と認められる事実が発生すれば、売買当事者は手附を放棄し、もしくはその倍額を償還して契約を解除する権利を失う。それではどのような事実が「履行ノ著手」にあたるのだろうか。判例で「履行ノ著手」の有無が問題になつている場合は次の二種類に分けられるのではないかと思う。

（イ）不動産売買等では、売買契約締結の際に一定額の金銭の授受が行なわれた後に、残された債務の一部がまず履行される場合がある（たとえば、中間金の支払とか、仮登記等）。これらは「履行ノ著手」にあたるだろうか。

（ロ）契約締結後、各当事者は、契約を完了させることを目的として、契約の履行以外の種々の行為を行なう場合が多い（たとえば、履行の準備、とか、履行の提供等）。これらの行為は「履行ノ著手」にあたるだろうか。（イ）の問題については、昭和四年一〇月四日、および、昭和一四年八月二九日という二つの朝鮮高等法院の判例があり、「履行ノ著手」にあたる、と判決している。これらについては既に紹介したので(一三〇頁)、ここでは(ロ)の場合に関する判例を考察しよう。

「履行ノ著手」を認めた判例。

【19】　Aは本訴被告から本件家屋を二万五千円で買受ける契約を結び、二千円を被告(売主)に交付した。売主は、四〇日以内に残代金支払と引換えに家屋を明渡し所有権移転登記をする旨約定したが、約定期限が到来しても家屋を明渡さず、Aの再三にわたる明渡請求に対しても不得要領の答弁をして遂にそれに応じなかつた。その後Aは売主に対し契約履行の催告書を送付したところ、彼は四千円をAに提供して契約の解除を申入れた。しかし、Aはそれを受領しなかつた。Aは、他の新築家屋を買受けそこへ移転し、売主に対する契約上の権利一切を原告に譲渡した。原告はその売主に対し契約履行を催告した後、契約の履行を求めて本訴に及んだ。第一・二審買主勝訴。売主上告。棄却。

「原判決は、その理由の説示として、「挙示の証拠を総合すれば、大久保菊次は約定の明渡期限後屢々控訴人(上告人)に対し本件家屋の明渡を求めたけれども控訴人において或は猶予を求め、或は不得要領の答弁をして日時を遷延し遂にこれに応じなかつたこと、菊次においては控訴人が家屋の明渡をすれば何時にても約定に従い残代金の支払を為し得べき状態にあつたことが認められるばかりでなく、控訴人の手附倍戻による解除の意思表示は菊次からの履行の催告書到達後になされたものであることが推認されるのでかような場合には買主としては既に契約の履行に着手したものと解するのが相当である」旨説明している。そして、原判決の認定した右のごとき場合にはまだ現実に代金の提供をしなくとも買主としての契約の履行に着手したものと解することができる」(最判昭二六・一一・一五民集五・七三五)。

【20】　本件家屋の売買契約の際買主は売主に一〇五〇円を交付した。その家屋には当時借家人Aが住んでいたが、売主は、Aを三〜四ケ月内に立退かせ、残金支払と引換えに引渡、移転登記をする約束であつた。その後、買主は売主に対し、しばしば、Aを立退かせ家屋を引渡すべきことを督促し、その間常に残代金を用意し引渡があればいつでも代金支払をなしうべき状態にあつた。また、自身もA方におもむき事情をつげ、Aにしばしば家屋の明渡を求めていた。しかし、Aが明渡さないでいるうちに時間がたち、売主は契約締結後約一年半たつてから、二、一〇〇円を買主に提供して契約解除の意思表示をした。しかし、買主は売主の解除権を認めず、売主に対し所有権移転登記手続を請求して本訴を提起した。（なお、この事件は前記〔1〕の再上告審である）。原審買主勝訴、売主上告、棄却。

「原審が証拠により適法に認定した事実によれば、被上告人は、売買契約後解除前たる昭和一九年一二月頃までの間に、しばしば上告人に対し、本件家屋の賃借人たる訴外大月某にその明渡をなさしめて、これが引渡をなすべきことを督促し、その間常に残代金を用意し、右明渡があれば、いつでもその支払をなし得べき状態にあつたものであり、他方上告人は、契約後間もなく被上告人と共に大月方に赴き、同人に売買の事情を告げて本件家屋の明渡を求めたものであるというのであつて、かかる場合、買主たる被上告人及び売主たる上告人の双方に履行の著手があつたものと解した原判決の判断は正当としてこれを首肯し得るものである（買主の履行の著手の点につき昭和二四年（オ）第一八九号同二六年一一月一五日第一小法廷判決参照）」（最判昭三〇・一二・二六民集九・二一四〇）。

【21】　昭和二四年九月、売主は自己所有の宅地および農地を三万五千円で売渡す契約を結び、その際買主から二万円の交付をうけ、六ケ月以内にその宅地上の倉庫、住家を収去し所有権移転登記・引渡をする旨約した。しかし、六ケ月経過後も売主は売買契約を履行せず、買主がしばしば売主にその履行を求めたが、売

主は単に猶予を求めるばかりで徒らに日時を遷延してこれに応じなかつた。そこで、買主は昭和二八年四月訴外Aに依頼して、売主に履行の請求（具体的内容不明）をなさしめたところ、売主は四万円を買主に提供して契約解除の意思表示をした。しかし、買主は売主の解除権を否定し、契約履行を求めて本訴を提起した。第一・二審買主勝訴。売主は上告し、次にのべる【22】の判例を引用して、本件では「履行ノ著手」は存在しないと主張した。裁判所は、

「原判決認定のような事実関係の下において、被上告人に履行の着手が既にあつたものと認めた原判決の判断は正当である」、という理由で売主の上告を棄却した（最判昭三三・六・五民集一二・一三五九）。

「履行ノ著手」を認めなかつた判例。

【22】　立木の売買契約締結の際に、買主は手附金五〇〇円を売主に交付した。その契約によると、売主は大正一一年六月二八日より七月二〇日迄の間に順次木材を伐採し、それらを松本駅構内のA運送店へ搬出し、そこで買主に引渡すこと、木材が貨車に積込まれるごとに買主は同運送店で代金を支払うこと、が定められていた。六月二七日、買主が代金三、〇〇〇円を持つて、松本市の旅館に投宿し、売主に代金の用意・受渡の準備がととのつたことをつげたところ、売主は翌日買主の宿をおとずれ、一、〇〇〇円を提供して、契約解除の意思表示をした。買主は損害賠償を請求して本訴に及んだ。第一・二審買主勝訴。売主上告。破棄差戻。

「又凡ソ履行ノ準備ト履行ノ著手トハ相違スルコト勿論ナルニ拘ラス原審カ被控訴人ハ代金三千円ヲ携帯シテ大正十一年六月二十七日村井町伏見屋旅館ニ投宿シ同日材木伐採及松本駅ニ於ケル材木受渡シ手伝ノタメ橋詰篤義外数名ノ人夫ヲ傭入レ且松本駅前三大運送店ニ対シ貨車配給方ヲ依頼シ以テ控訴人ニ対シ代金ノ用意及受渡ノ準備整ヒ居ル旨ヲ通知シタル事実ヲ認メ得ヘク然ラハ被控訴人ハ大正十一年六月二十七日既ニ契約ノ履行ニ著手シタルモノト言フヘク云々ト説示シタルヲ見レハ原審ハ履行ノ準備ヲ履行ノ著手ト区別シ

テ之ヲ混同セサリシモノト云フヲ得ス故ニ原審カ右ノ如ク説示シテ其ノ後ニ為サレタル控訴人（上告人）ノ解除ノ意思表示ハ効果ヲ生スルニ由ナキモノトナシ以テ上告人ノ抗弁ヲ排斥シタルハ理由不備ノ違法アルモノト云ハサルヲ得ス」（大判昭八・七・五裁判例七・一六六）。

【23】　昭和三三年一月二七日原被告間に本件土地建物を八百万円で売買する契約が結ばれ、その際五〇万円が売主に交付された。同契約によると、売主の妻の病状が回復したときもしくは妻が死亡したときから本件物件の明渡に要する最短日数を加えた日を本件売買契約の履行期とする旨定められていた。買主は、昭和三三年六月頃売主の妻の病状は危険状態を脱したから本契約の履行期が到来した、と主張して、数回にわたつて売主に対し履行期日の指定を督促し、売主がその指定を行なわないので、昭和三四年一月二三日に東京地裁に本件物件の処分禁止の仮処分を申請し、同日その決定を得た。買主は、さらに、一月二五日本件物件の売買代金残額に相当する金員を預金してある預金通帳を売主に提示し、履行を督促した。しかし、その後も売主が履行期日を指定しないので、買主は、昭和三四年一月三一日到達の書面で履行の日時および場所を同年二月九日東京法務局新宿出張所と指定し、同日、残代金相当の小切手を持参して同出張所で売主の来会をまちうけた。しかし、売主は同日同出張所にあらわれず、同年二月一二日に手附金倍額一〇〇万円を持参して買主事務所をおとずれ、解約の意思表示をし、買主がその金銭を受取らないのでそれを東京法務局新宿出張所に供託した。なお、売主の妻は昭和三五年二月二二日に死亡した。買主から売主に対して所有権移転登記手続、土地および建物明渡を請求。

売主は、昭和三四年二月一二日の手附倍戻しによる売買契約解除の意思表示により、本件売買契約は解除された、と抗弁し、それに対し、買主は、売主の契約解除は「履行ノ著手」後であるから効果を生じない、と再抗弁した。第一審買主勝訴、売主控訴。原判決取消、請求棄却。

㈠　売買代金の提供が民法第五五七条に定める売買契約の履行の着手となるためには、その当時履行期が到来していることを要するものと解すべきであるから、先づ本件売買の履行期について判断する。

(イ)　本件売買契約の履行期について、控訴人の妻の病状が回復したとき又は最悪の事態が発生したときから本件物件の明渡に要する最短日数を加えた日時とする旨約定されたことは当事者間に争がないところであるところ、被控訴人は右の控訴人の妻の病状が回復したときは控訴人の妻の病状が危険状態（絶対安静）を脱したときを指すものであり、同人は昭和三三年五、六月頃には右危険状態を脱していたものであるから、その頃履行期は到来したものであると主張する（原判決事実摘示、被控訴人の再抗弁㈠）ので考えてみるに、被控訴人の右主張中、「病状の回復」とは危険状態（絶対安静）を脱したときを指すものであるという点については、これを肯認するに足りる証拠はなく、却つて（証拠―省略）によれば「病状の回復」とは病人の身体が動かせるようになり、転地療養等ができる程度に迄回復することを意味するものであることを認めることができる。しかも控訴人の妻の病状が右のように病人の身体が動かせるようになり、転地療養等ができる程度に迄回復するに至つたことを認めるに足りる証拠はない。従つて、結局本件売買契約の履行期の約定中、「病状の回復」とは控訴人の［妻の？］病状が危険状態（絶対安静）を脱したときを指すものであるとの前提に立つて、本件売買契約の履行期は昭和三三年五、六月頃に到来したものであるとする被控訴人の前記主張が控訴人の錯誤の抗弁（原判決事実摘示、控訴人の抗弁㈢）についての判断をまつ迄もなく理由がないことは固より、仮に前認定のとおり「病状の回復」とは、病人の身体が動かせるようになり、転地療養等ができる程度に迄回復することを意味するものであるとの前提に立つても、前記のように、控訴人の妻の病状が右の程度に迄回復したことを認めるに足りる証拠はないから、本件売買の履行期は、本件売買契約の履行期に関する約定中の「病状の回復」に該る事由が発生したことを理由としては遂に到来しなかつたものといわなければならない。

(ロ)　次に被控訴人は仮定的な主張として、被控訴人は控訴人に対し、昭和三四年一月三一日到達の書面で、本件売買契約の履行の日時を昭和三四年二月九日と指定したから、右期日に履行期は到来したものであると主張する（原判決事実摘示、被控訴人の再抗弁(一)）ので判断する。被控訴人が控訴人に対し右のように履行期の指定をなしたことは当事者間に争がないところである。そして、被控訴人が、被控訴人において本件売買契約の履行期を指定する権利を取得するに至つた原因として主張するところは、控訴人が昭和三四年一月二五日被控訴人との間で、同人に対して同月二七日迄に履行期を指定することを約したにも拘らず、右期日を右約定の日迄に指定しなかつたという点にあり、（原判決事実摘示、被控訴人の再抗弁(一)）右事実は（証拠―省略）によりこれを認めることができる。（中略）ところで右の如き場合に被控訴人が本件売買契約の履行期を指定する権利を取得するためには、法律の規定もしくはその旨の特約が存在することを必要とするものと解すべきところ、右の如き趣旨の法律の規定は存在せず、（仮に選択債権における選択権の移転に関する民法第四〇八条の規定が類推されるとしても、被控訴人において控訴人に対し、相当の期間を定めて、本件売買契約履行期を指定することを催告する等右法条に定める選択権の移転の要件である相当の期間を定めた催告に準ずる催告をなしたことを認めるに足りる明確な証拠はない、（中略）また右の如き特約が存在したことについては、何等の主張、立証もない。従つて、被控訴人が指定した期日である昭和三四年二月九日に本件売買の履行期が到来したとの被控訴人の前記主張も、控訴人の強迫による取消の抗弁（原判決事実摘示控訴人の再々抗弁）について判断する迄もなく理由がないものといわなければならない。

(ハ)　被控訴人は、本件売買契約の履行期のうち、控訴人において本件物件の所有権移転登記手続をなすべき期日は、本件物件の明渡期日とは別個に定められているものである。即ち、右移転登記手続は控訴人において、本件売買の残代金七、五〇〇、〇〇〇円を支払うのと引換えに何時でもなすべき約である旨主張するけれども、被控訴人の右主張に沿うが如き（証拠―省略）は、（他の証拠―省略）に照し、にわかに措信できない。殊に、本件不動産売買契約証書（甲第一号証）に特約条項として同契約書末尾附記事項第一条に本件物件の所有権移転登記手続および明渡の期日について、控訴人の妻の病状が回復するか又は最悪の事態が生じた場合に明渡に要する最短日数を加算した日時と定められるに至つた経緯、特に(イ)本件売買契約の交渉は控訴人において、重症で病臥中の控訴人の妻の懇願により、一旦中止したこと、(ロ)右の様に一旦中止したにも拘らず控訴人において売買の交渉を再開して本件売買契約を締結するに至つたのは、本件売買契約の末尾附記事項第一条として特約条項が定められるに至つたことによるものであること、(ハ)しかも、右特約条項中に定める「病人の病状が回復するか又は最悪の事態が生じた場合」という条件は伸縮を許さない厳格なものであり、そのことを強調するために後記のように特に右附記事項第一条の記載方法として、但書を一旦記載した上、それを棒線で抹消する方法をとつたこと、以上(イ)、(ロ)、(ハ)の各事実に徴すれば、控訴人は、控訴人の妻が病臥中は、（転地療養が可能となつた場合は別として）本件物件の売買については、その明渡、移転登記手続等一切の履行行為を行わない固い決意であつたことが推認できることに鑑みるときは、被控訴人主張の様に本件物件の移転登記手続の期日については、明渡期日とは別に、残代金と引替えに何時でも移転登記手続をなすべきものと定められていたというようなことは到底考えられない。附記事項第一条として、前記特約事項が定められるに至つた経緯は次のとおりである。即ち控訴人は本件物件を一旦売却処分する決心をして、不動産仲介業東光通信株式会社にその売買の周旋方を依頼し、同会社の周旋により被控訴人との間に売買交渉が進行しつゝあつたのであるが、控訴人は、右売買の交渉を中途で打切つた。その理由は、元々本件物件の売買の話は、控訴人において妻に内密で始めたものであるところ、右控訴人の妻が、控訴人が本件物件を他に売却しようとしていることを聞知し、控訴人及びその妻の仲人を通じて、自分は本件家屋で死に、本件家屋から葬式も出して貰いたいから、本件物件の売買は中止して貰い度いとの同人の切なる願を控訴人に伝えたことにある。控訴人の右取引中止の通知を受けた前記東光通信株式会社の社員である訴外吉川英美は被控訴人側の周旋業者である相互商事不動産部の堀栄一と協議の結果、控訴人の妻が死亡するか又はその病状が回復する迄本件物件に対する所有権移転登記手続及び本件物件の明渡等の履行期を延期すること、但し右期日が売買契約締結の時から四ケ月を超える場合は、その期日については双方協議の上決定するものとすること、との特約条項案を作成し、本件売買契約の履行期について、右の特約を附することにより控訴人を説得することとし、右吉川英美において右特約条項の案を東光通信株式会社々長である飯島又市に示してその承認を求めたところ、右飯島は右の但書は後日問題を起す虞れがあるから削除することを可とすること、右を削除した上で関係者に異議がなければ本件物件についての売買契約を締結することゝして差支えない旨指示した。そこで、昭和三三年一月二七日頃前記東光通信株式会社の事務所に、前記堀栄一、被控訴人、吉川英美外一名等が会合し協議の結果全員前記特約条項の案（但書を削除したもの）を了承したので、右特約条項（但書を削除したもの）を本件不動産売買契約書（甲第一号証）の末尾に附記事項第一条として記載し、その記載方法としては一旦右但書の部分も記載した上で、その部分を棒線で抹消する方法によつた。右のように、但書の部分を一旦記載した上、棒線で抹消する方法をとつたのは、それにより右但書の如き特例が定められなかつた経過を明らかにするためである。そして、右記載がなされた後に控訴人も前記事務所に来り、右但書の抹消された特約条項を示されて、本件売買契約の締結に同意するよう説得され、遂に不本意乍ら右特約（但書の抹消されたもの）を附することを条件として本件売買契約の締結に同意するに至つたものである。（中略）以上のとおりである。

なお、前記売買契約第五条但書によれば、双方協議の上移転登記手続を期日前になすことを妨げない旨定められているが、右は、前記相互商事不動産部備付の「不動産売買相互契約書」と題する契約書用紙に不動文字で印刷されているものであり、前記特約事項の但書を抹消する際に当然抹消すべきものが抹消洩れとなつたものであると認められるのみならず、右協議がなされたことについては何等の主張立証もない。

以上の次第で、被控訴人の右主張も理由がない。

(二)　以上(イ)、(ロ)、(ハ)により明らかなように、控訴人の本件売買契約を手附倍返しにより解除する旨の意思表示が被控訴人に到達した日（右日時は前記のとおり昭和三四年二月一三日である。）以前に、本件売買契約の履行期が到来したことについては、結局その立証がないものといわなければならない。（控訴人の妻が昭和三五年二月二二日に死亡したことは当事者間に争がないところであるから、本件売買契約の履行期は、仮に控訴人主張の解除が理由ないとすれば本件売買契約に定める「最悪の事態」の発生により右同日頃に到来したことになる。）

(一)　控訴人の手附倍返しにより本件売買契約を解除する旨の意思表示が被控訴人に到達した昭和三四年二月一三日以前に本件売買契約の履行期が到来したことの立証がないこと前記のとおりであるところ、売買代金の提供が売買契約の履行の着手となるためには、その履行期が到来していることを必要とすること前記のとおりであるから、本件売買契約について、控訴人が解除の意思表示をなす以前に履行の着手があつたとする被控訴人の主張は、被控訴人において売買代金の提供をしたか等の点についての判断をまつ迄もなく理由がないものといわなければならない。

(三)　以上(一)及び(二)説示のとおりであるから、結局、控訴人の手附倍返しによる本件売買契約解除の意思表示は、被控訴人において、履行に着手した後になされたものであるから無効であるとする被控訴人の主張は理由がないものといわなければならない。

なお、一般に売買契約における代金の弁済期は、売買の目的物の引渡の期日とは、たとえ右の両者が同一日時の場合でも、観念上別個のものであるから、買主は売買代金債務についての期限の利益を放棄して、期日前に弁済をなすことは可能であるが、この場合といえども、それにより相手方の利益を害することを得ないものである。（民法第一三六条第二項）従つて、仮に被控訴人主張の売買残代金（小切手）の提供（原判決事実摘示、被控訴人の再抗弁㈣）が本件売買契約における代金支払についての期限の利益を放棄してなされたものであるとしても、右期限の利益の放棄は、控訴人の手附倍返しによる解除権には何等の影響も及ぼさないものといわなければならない。」（東京高判昭三九・一・三一判タ一五九号一五五頁、なお、その原審判決は東京地判昭三六・九・一判タ一二二・八六）。

われわれはこれらの判例を統一的に説明しうるだろうか。次の二つの事態の有無を座標軸にとつてこれらの判例を整理すると下にかかげた表ができあがる。その二つの事態とはこうである。

（イ）当事者が自己の債務の履行や相手方の債務履行の受領に必要な行為を行なつたのは契約履行期日の到来前かそれとも到来後か。

（ロ）不動産価格の騰落の結果、手附金額が損害の塡補に不適当な額になつたか否か。

	目的物価格の変動なし	目的物価格が暴騰暴落
履行期前	【22】「履行ノ著手」なし	【23】「履行ノ著手」なし
履行期後	？	【19〜21】「履行ノ著手」あり

この表が示すように、各当事者が――もし相手方当事者が債務を履行すれば自分もそれに対応する債務を履行しうる程度の準備をして――相手方に対し契約の履行を要求する行為が、履行期前に行なわれた場合には、その行為は「履行ノ著手」に該らない。その場合には、不動産価格の騰貴の結果手附金額が買主の損害を塡補するのに不相当になつたことは考慮されていないように思われる【23】。それに対し、契約履行期日が徒過された後に、各当事者が――もし相手方当事者が債務を履行すれば自分もそれに対応する債務を履行しうる程度の準備をして――相手方に対し契約の履行を要求した場合には、少なくとも、手附金額が買主の損害を塡補するに不充分になつているときには、裁判所は、「履行ノ著手」ありと判断している。

裁判所がこのような基準で「履行ノ著手」の有無を決定していると考えることは、必ずしも理由がないわけではない、と思う。売主および買主が「手附金」を放棄もしくは倍戻しして契約を解除しうるという法律関係、すなわち、各当事者は「手附金」額だけの損失を負担するか契約を履行するかを選択しうるという法律関係は、通常の場合には契約の一方当事者に特別な経済的利益を与えるものではない。しかし、目的物が暴騰もしくは暴落し、契約価額と時価との間に手附金額以上の差額が生じた場合には、この法律関係は契約が完全な拘束力を有する場合に比べて、暴騰の場合には売主に、暴落の場合には買主に利益を与える。いいかえれば、この場合には各当事者は利益を得る可能性および不利益を蒙る可能性を与えられている。このような法律関係を一般的に認めることが立法政策上妥当であるか否かはともかく、このような法律関係の成立が法律上みとめられており、それにより各当事者が将来一定の利益を得る可能性がある以上、そのような利益を得る可能性が相手方当事者の一方的な意思により消滅させられることは妥当ではない。したがつて、各当事者が勝手に「履行ノ準備」をはじめたことをもつて「履行ノ著手」と考えることは妥当ではない。それでは、どのような事情が発生した場合に上記の法律関係を――したがつて上記のような利益を得る可能性を――消滅させることが妥当であろうか。その点についてはいくつかの考え方が成立しうると思うが、その一つとして次のように考えることもできよう。契約履行期日が到来すれば、各当事者は相手方当事者が履行の提供をすれば自己の債務を履行しなければならないという地位にある。すなわち、履行期日前と異なり、各当事者の債務が現実化するか否かは相手方当事者の行為にかかつている。このような立場にある各当事者が――相手方当事者が自己の債務を履行し、それと対応する債務の履行を受領する意思を示し、且つ、それが可能であることを示したのに対し協力せずに――その後、契約を解除して暴騰、暴落による利益を享受することを認めるのは公平に反する（もしその当事者が相手方当事者に協力していたならば、契約は終了し、その後は解除権を行使しえなかつた筈である）。したがつて、目的物の価格の暴騰暴落により手附金が損害の塡補として不適当になつた後に相手方当事者がそのような行為をしたときには、その当事者の手附放棄、倍戻しによる解除権は消滅した、と考えるべきである。

なお、一四七頁の表が示すように、履行期到来後に一方当事者が相手方に契約の履行を請求した場合において、手附金額が損害を塡補するに充分である場合については判例はまだない。したがつて、手附金額が損害額にくらべて過少であるか否か、いいかえれば契約締結後目的物の価格が暴騰暴落したか否かは「履行ノ著手」の有無を決定する要素ではない、という結論を前記の諸判例から導びくことも可能である。しかし、上述した理由により、目的物価格の暴騰が【19】〜【21】の判例の結論を導いたレレヴアントな事実の一つであると考える方が妥当であろう。

(2)　「履行ノ著手」後も手附の放棄倍戻しによる解除をなしうる旨の特約

民法五五七条は任意規定であるから、当事者は「履行ノ著手」にあたる事実発生後も手附の放棄、倍戻しにより契約を解除しうる旨特約をもつて、定めることができる。

特約が存在したことを挙証する責任は、その特約の存在を主張する者が負う。

【24】　本件の事実はよくわからないが、本件不動産の売買契約締結の際に、売主は買主から二、〇〇〇円の交付を受け、その後「履行ノ著手」にあたる事実の発生後、四、〇〇〇円を買主に提供して契約解除の意思表示をしたのに対し、買主がそれを拒否し、契約の履行を請求して本訴に及んだ事件らしい。第一審買主勝訴。原審は「買主契約ヲ履行セサル場合ハ二千円ノ手附金ヲ其ノ儘売主ニ遺リ又売主ノ方ニテ万一契約ヲ履行セサル場合ニハ手附金の倍額金四千円ヲ買主ニ交付シ之ニ依リ契約ヲ解除スル」という条項その他種々の証拠にもとづき、「本件手附ハ当事者ノ一方ニ於テ其ノ履行ニ着手スルモ本件売買契約カ履行セラレ終ルマテハ何時ニテモ買主タル原告ニ於テハ之ヲ抛棄シ又ハ売主タル被告ニ於テハ其ノ倍額ヲ償還シテ契約ノ解除ヲ為シ得ヘキ趣旨ニテ授受セラレタルモノ」と認定し、売主を勝訴させた。買主は上告し、原判決が挙示する証拠によつては原審認定の特約を認定することはできない、と主張した。

「按スルニ民法第五百五十七条第一項ノ規定ニ依レハ当事者カ手附ヲ授受シテ解除権ヲ留保シタル場合其ノ解除権ノ行使ハ当事者ノ一方カ契約ノ履行ニ着手スルマテニ制限シタルヲ以テ当事者カ之ニ反スル特約ヲ為シ履行ノ終ルマテハ何時ニテモ其ノ契約ヲ解除スルコトヲ得ル旨ヲ主張スル者ハ此ノ点ニ付的確ナル挙証ヲ為スヘキ責任アルコト多言ヲ要セス然ルニ原判決カ其ノ認定ノ資料ニ供シタル書証人証ニ徴スルニ本件手附ハ通常ノ解約手附ナルコトヲ認メ得サルニ非スト雖原判示ノ如ク当事者カ前示民法ノ規定ヲ排除スヘキ特約ヲ為シタル事実ニ付テハ甲第一号証ニハ特段ナル記載ナク……此ノ如ク被上告人ノ提出並援用セル証拠ヲ逐一検討スルモ的確ニ原判示ニ昭応スル証拠資料ノ存在セサルハ勿論之ヲ綜合考覈スルモ未ダ以テ原判示ノ事実ヲ認メシムルニ足ラサルモノトス」（大判昭一四・五・二六評論二八民七三四）。

それでは、どのような事実を挙証すれば「特約」が存在した、と認められるのだろうか。【14】の判例では、「本契約売主ニ於テ不履行ノ場合ハ金一千円ノ倍額ヲ買主ニ提供スルコト、買主ニ於テ不履行ノ場合ハ金一千円ヲ支払ハサルモ買主ニ於テ何等異存無之キ事」という条項は、各当事者が履行の着手後も契約を解除しうる趣旨を定めたものである、と判示している。それに対し、【24】では、裁判所は、前述したような内容の、手附損倍戻しの条項は、履行の著手後も各当事者は契約を解除しうる、という趣旨の特約にはならない、と判決している。また、次の二つの事件でも、裁判所は、特約の存在を認めていない。

【25】本件家屋を代金一六万円で売買する契約が結ばれ、買主は手附金内金として二万円を売主に支払った。その契約には「本契約に違反したるときは、売主は手附金の内金の二万円の倍額四万円を償還し、買主

は右手附金を放棄するものとす。その場合において本契約は当然解除せられたるものとす」という条項が含まれていた。また、買主は約定にしたがい、手附残高を含む残代金をその後数回に分けて支払うこと、売主は最終割賦金の支払と同時に買主名義に所有権移転登記をすることが定められていた。買主が約定どおり割賦金を支払い、最終割賦金を約定期日に提供したところ、売主がその受領をこばんだので、買主は、それを供託し、本訴を提起し、移転登記手続を請求した。売主は次のように抗弁した。本件建物は契約当時訴外Aが賃借していた。売主は契約のときに、Aを約定期日に立退かせうるかどうかを危ぶんだので、立退かせ得ないときは、たとえ「履行ノ著手」後であつても手附金の倍額を返還して契約を解除しうることとする趣旨で、前記条項を契約書に挿入したのである。売主は、本条項にしたがい手附倍戻しによる解除の意思表示をしたから、本契約は解除されたと。原審は次の理由により売主の抗弁を排斥し、買主の請求をみとめた「本契約に違反したるときは、売主は手附金の内金二万円の倍額四万円を償還し、買主は右手附金を放棄するものとす。この場合において、本契約は当然解除せられたるものとす。」との文言を、違約罰として手附金一部の倍返し及び没収を規定すると共に、相手方違約の場合の解除権を留保したもので、契約違反者の好むところに従い何時でも右手附金一部の倍返し又は放棄により契約の解除を為し得る趣旨のものではない。」売主は上告し、原審の認定は経験則違反である、と主張した。最高裁は「原判決の所論約款の解釈に関する判断は正当である」という理由で上告を棄却した（最判昭二六・一二・二一裁判集民五・一〇九九、判タ一七・四三）。

【26】 本件物件を二、二五〇万円で売買する契約が結ばれ、買主は即時に売買手附金三〇〇万円を売主に支払つた。その契約では次のことが約定された。(イ) 買主が売買代金の内渡金七〇〇万円を売主に支払うと同時に、売主は本件不動産の所有権移転請求権保全の仮登記をすること。(ロ) その後、昭和二六年七月三一日迄に、買主は売買代金中六〇〇万円を売主に支払い（その際売主は建物の少なくとも半分以上を明渡す）、

買主は物件の一部の明渡をうけた時は直ちにその部分の改造に着手すること。(ハ)　売主は六〇〇万円の支払をうけると同時に、その不動産上の抵当権につき、その被担保債務を弁済してその設定登記を抹消させること。(ニ)　その後、昭和二六年八月三一日迄に、買主が残代金六五〇万円を支払うと引換えに、売主はその不動産を完全に明渡し、所有権移転登記手続をすること。(ホ)　「売主ニ於テ明渡シ遅延其ノ他契約事項ニ付テ不履行ノ場合ハ手附金ヲ倍額ニシ内金、受領金ト共ニ即時返還スルモノトス。其ノ際ハ買主ニ於テ予約仮登記ヲ解除シ並ニ買主又ハ買主ノ指図人カ占有シアル場所ハ即時明渡シ現状ニ復スルモノトス。買主ニ於テ右記載ノ契約不履行ノ場合ハ手附金ヲ無条件ニテ放棄シ内金ハ買主ニ売主ヨリ即時返還受領スルコト」。

この契約に従い、買主は売主に七〇〇万円を支払い、本件不動産につき仮登記を取得した。買主は、七月三一日に、残金中の六〇〇万円を提供して建物半分の明渡を求めたが、売主は猶予を乞うてその受領をこばみ、買主はさらに八月三一日に残代金全額の支払準備あることをつげて売主に契約の履行を求めた。しかし、売主は契約を履行せず、昭和二六年一一月一三日、手附金の倍額六〇〇万円内渡金七〇〇万円およびその利息を買主に提供して、契約の解除の意思表示をした。しかし、買主はその受領を拒絶し、本訴を提起して、所有権移転本登記手続および不動産明渡を請求した。原審買主勝訴。売主は控訴し、前記(ホ)条項は各当事者が「履行ノ著手」後も手附金を放棄倍戻して契約を解除できる旨特約した条項である、と主張した。裁判所は、同条項は「履行ノ著手」後における損害賠償額を予定した条項である、という理由で控訴を棄却した。

「右契約書の文言によれば少くとも互いに契約につき不履行の場合に手附金の放棄又は倍額の返還を定める外相互の原状回復につき言及していることは明らかであるから、たんに相手方が契約の履行に着手するまで買主はその手附を放棄し、売主はその倍額を償還して互いに契約の解除をし得ることを定める民法第五百五十七条所定の趣旨をあらためて同様に定めた趣旨でないことは明らかである（控訴人もこれを主張するものではない）とともに、右民法の規定を特に除外したものでもないといわなければならない。さればといつて右契約書の文言は正確のものといい難くかつその条項にはなんら契約解除の文言を用いていないところからすれば、これが控訴人主張のような趣旨であることはこの契約書の文言自体からは結局うかがい得ないものとしなければならない。当審における控訴人本人は右契約書第七項は控訴人が訴外藤山同族株式会社から本件物件を買受けた際の契約書（乙第八号証）を参考としてその趣旨にもとずき自ら原案を作成したものであると供述し、右訴外会社との契約書である乙第八号証にはその第二条第一項に「右ノ解約ヲナス時ハ乙又ハ其ノ指示人ノ占有セル部分アル場合ハ之ヲ原状ニ回復シ甲ニ返還スルト共ニ甲ハ第二条ノ手附金全額ヲ乙又ハソノ指示人ニ返還スルモノトス」とあり、これとてもその文意はきわめてあいまいではあるが、とにかくにも買主たる控訴人のために解除権を留保したものと解せられないわけでもないけれども、これと本件契約書である甲第二号証の一（乙第九号証も同文）とをくらべればその文言の異なることは顕著であつて、乙第八号証をそのまま本件契約書に引き写したものでないことはもちろん、右乙第八号証の趣旨がそのまま本件契約書に盛られていると見ることも相当ではない。この点につき原審及び当審において控訴人本人は、本件売買契約ははじめ被控訴人の側からのたつての申出によつて取り結ぶことになつたものであるが、当時建物には多数の占有者がありその明渡に確信が持てず、約旨どおり履行ができるかどうか危ぶまれ、あくまで被控訴人から履行を請求されるにおいては控訴人は窮地に立つこととなるので、特に明渡が成功しなければいつでも手附金の倍額を返還しさえすれば契約の解除ができるようにしたものであり、しかもこの手附金も被控訴人の方は当初一千万円を交付しようと申出たのを、控訴人としてはそのような多額の金員を返還しなければ解除できないということでは困るので、前記の額に減額させたのであり、はじめ控訴人の作つたこの契約書の原案では控訴人のこの特権だけをうたつてあつたのを仲介人の阿部勝之進の意見で被控訴人の側についても規定することとしたものであるとの趣旨の供述をし、成立に争のない乙第二号証（控訴人の別件答申書）にも同様の記載があるけれども、契約当時明渡について危惧の念のあつたことは諒し得るとしても、前記のとおりその明渡は不能という程のものではなく、むしろある程度の見透しはついており、かつこれに要する控訴人の出捐の額もほぼ予想されていたところではあり、右明渡についての懸念から直ちに控訴人主張のような趣旨の特約を定めたものとする点については右供述及び記載は信用し難いところである。手附金の額の決定のいきさつについても、この種の手附は特に除外の特約をしない限り（前記本件の特約がそうでないことは前記のとおりである）前記民法上の解約手附たる性質を失うものでないから、手附が多額であれば履行着手前の解除についてもそれだけ多額の犠牲を払わなければならないこととなるのは自明の理であるばかりでなく、後記のように損害賠償額の予定とした場合にもかくべつむじゆんする話ではないから、手附金額決定のいきさつ自体から解除権の留保があるものと推測しなければならないものではない。控訴人の作成した原案には控訴人の側についてだけこのことを規定してあつたということも、もとよりこの特約が控訴人主張の趣旨たることを証するものではない。控訴人は本件において前記契約解除の意思表示をする以前すでに、期日までに建物明渡の見込がつかないところから昭和二十六年八月二十六日被控訴人に対し右明渡の困難な事情を説明して契約を解除したい旨を申入れたところ、被控訴人はさらに明渡に努力されたい旨控訴人に頼んだので控訴人もなお一層の努力をすべき旨を約したと主張し、この事実は原審及び当審における控訴人本人尋問の結果により認め得られるけれども、もし真に、控訴人のいうごとく解除権の留保があるものであるならば、返還すべき金員を用意する都合はともかくとして、控訴人としては直ちに一方的意思表示によつて契約解除を断行するに妨げがあるはずなく、しかも控訴人が正式に解除の意思表示をした前記昭和二十六年十一月十三日当時は、すでに前認定のとおり明渡について最も控訴人を悩ませた荒木ら関係の分はほぼ解決の見透しがついたものと推測される際のことであつて、この期に及んで控訴人は本来明渡困難の場合を予想して特約したという解除権を行使するの挙に出たことになるわけであつて、その事柄自体とうてい不自然の感を免れず、率直にこれを理解することができないところである。いわんや控訴人が金千三百万円余に上る金員を確たる根拠なくして漫然供託する筈がないとの論のごときは、すこしも前記特約の存在を証明する上に、加えるところがない。……

かえつて………（……等の証拠）に、前記本件契約書の文言及び本件口頭弁論の全趣旨をあわせ考えれば、当時被控訴人は本件建物の明渡を受ければ直ちにその改造に着手しおそくも昭和二十六年十二月のクリスマスに間に合うように同所においてキャバレーを開設したい意向であり、そのため本件契約の後松井善之輔にその設計を依頼し、同人らとともに名古屋及び関西方面の同業施設を視察し、これを参考として右の計画に着手し、改造に要する資材や人員の手配をし、一方所轄東京都知事に対しては控訴人の承認のもとに右改造についての許可申請をする等諸般の準備をしていたもので、被控訴人としては建物明渡について多少の遅延はやむを得ないとしてもできるだけ履行を求めて所期の目的を達するよう希望していたものであつて、控訴人の履行遅延の結果止むなくその不履行を理由として自ら契約を解除する場合はかくべつ、しからずして被控訴人の好むと好まざるとに拘らず控訴人の任意によりなんどきでも手附金の倍戻しによつてこの契約が解除され得るというが如き趣旨の条項を結ぶべき状況にはなかつたものであつて、ただ本件には特に建物明渡の点について懸念があり、控訴人としては極力明渡に努力はするがそれが約旨の期間内に奏功せず、その履行が遅延しもしくは一部の明渡が残つたりするような場合に、被控訴人からこの不履行を理由として契約を解除される仕儀となり、それについて多額の損害賠償を請求されることとなると、控訴人としては今までの努力が水泡に帰するのみでなく、多大の損失をまねくこととなるので、その場合にそなえて右不履行を理由として契約を解除された場合にその不履行にもとずく損害賠償の額を手附金と同額と予定し、同様のことを買主たる被控訴人の側についても規定するとともに、その際における相互の原状回復について約定したのが、前記契約書第七項の趣旨であることを認定するに足り、契約書の文言は正確ではないけれどもかかる趣旨のものとしてこれに臨むときは、文意おのずから通ずるものあることをおぼえるのである。」(東京高判昭二九・五・二九下級民集五・五・七六二)。

【24】以下の判例と【14】との関係をどのように考えるべきだろうか。【25】および【26】はいずれも戦後の事件である。周知のように、戦後は不動産価格が暴騰しているから、売主が手附の倍額を買主に提供して解除の意思表示をしたときには、手附金額は買主の損害を塡補するには極めて不充分になっていたと推測される。しかも、これらの事案においては、買主は、手附金のみならずかなり多額の割賦金、中間金を支払っている。これらの事情が存在する場合に売主による解除を認めることはまったく妥当でない。それゆえ裁判官は、これらの場合に「履行ノ著手」の制限を排除する特約を認定しなかったものと思われる。

それに反し、【14】ではそのような事情がなく(この事件では、売主が買主に対し代金支払を請求している)、したがって売主は手附金を没収すれば買主の違約により蒙る損害をほぼ塡補しえたのではないだろうか。その結果、裁判官は、【14】においては、手附の放棄による解除を認めたものと思われる。

ここで、違約した当事者は手附金を抛棄、倍戻ししなければならない、という契約条項を「履行ノ著手」の制限を排除する特約と解釈すべきではない理由を述べておきたい。われわれは、若干の業者に対してであるけれども、中間金の授受までも行なわれた場合、とか、履行期後に一方当事者が契約履行の準備をととのえて相手方に契約履行を請求したときにはそれに応ぜず、後に、不動産価格が騰貴もしくは下落し手附金額が実損害額をはるかに下まわるようになつた場合――すなわち、「履行ノ著手」と看做される事情が存在する場合――でも手附金の抛棄倍戻しによる解除が許される、と一般に考えられているか否か、をたずねた。その答えによるとこのような場合迄あらかじめ考慮して前記条項を契約書に挿入しているのではないようであり、また、「履行ノ著手」後の手附損倍戻しによる解除は滅多にないので、その当否に関するはつきりした慣習もないようである。このことから憶測すると、どのような場合でも各当事者は手附金の限度でしか合意を履行する責任を負わない、という・手附の慣習をささえて来た元来の規範意識は現在では少しくづれており、「履行ノ著手」という特別の事情が生じた後でも各当事者は手附金の限度で責任を負えばよいのかどうかは、業者の間でも曖昧なのではないだろうか。また、それに対応して、この条項がそのような場合をもカバーすべきか否かに関する彼らの考えも曖昧になつているのではないだろうか。もしそうであるならば、本条項は「履行ノ著手」の制限を排除する特約とは解釈さるべきではないであろう（なお、来栖・前掲七三四頁参照）。

（二）　信義則を理由とする解除権の消滅

「履行ノ著手」にあたる事実が存在しない場合でも、判例は、一方当事者が先の訴訟で手附倍戻しによる解除を予備的に請求しえたにも拘らずそれをしなかつた場合には、信義則を理由として、手附の放棄、倍戻しによる解除権が消滅したと判示している。

【27】 本件家屋の賃借人と家屋及び敷地所有者との間に、その家屋および敷地の売買契約が締結され、売主は買主から手附金を受領し、その後買主のために所有権移転の仮登記をした。その後、売主は、買主を相手として、仮登記の抹消、土地建物の明渡しを請求する訴訟（別訴）を提起し、その際、本件土地・建物の売買は実質的には建物賃貸借であり、その建物賃貸借は賃料不払により解除された、と主張した。しかし、売主は、その訴訟で第一審・第二審ともに敗訴したので（目下上告中）、今度は、手附金の倍額を提供して契約解除の意思表示を行ない、本訴で仮登記抹消等を請求した。請求棄却。

「原告らが被告らの主張する如く、昭和二四年中被告ら先代辰見を相手どり当庁に本件各仮登記の抹消、本件土地、建物の明渡の訴訟を提起し（同年(ワ)第一〇六号）、それが休止満了となつた後昭和二八年さらに被告らを相手どつて同様の訴を当庁に提起し（同年(ワ)第四九号）、敗訴の判決を受けて昭和二九年東京高等裁判所に控訴し（同年(ネ)第九九八号）、昭和三〇年七月一九日控訴棄却の判決を受け、これに対し上告したことは原告らの認めるところであり……これら訴訟並びに前記の控訴審における訴訟においても、本件土地、建物の売買は仮装のもので実質は建物賃貸借であり、その建物賃貸借は賃料不払によつて解除された旨を一貫して主張し来つたのであり、本件各仮登記の抹消、本件土地、建物の明渡を求めるこれら訴訟の経過中手附金倍戻しによる解除の如きは予備的にもなさず、訴訟においてももとよりその旨の予備的主張もなされなかつたことが認められる。以上の原告らの従来の態度に徴するに被告利男は本件解除がなされる以前において約定解除権はもはや行使せられないものと信頼したものと見るべく、かく信頼するにつき正当の事由があつたものとなすべきであり、従つて本件解除は信義誠実に反するものとして許されず、効力を生じないものとせねばならぬ。（被告らの引用する最高裁判所判決の趣旨参照）原告らがすでに昭和二四年頃から本件各仮登記の抹消、本件土地、建物の明渡を請求していたことは、それ自体として直ちに被告利男に約定解除権の不行使を信頼すべき正当の事由があつたとする右判定を妨げるものではない。これら請求は約定解除権と矛盾する事実をその理由としているのであつて、約定解除権については予備的にも触れない原告の一貫した態度が継続し来つたのであるからである。」（東京地八王子支判昭三三・三・二八下級民集九・五二七）。

三　損害賠償の予定としての手附

一　締約時に授受された金額が、契約関係清算の際の損害賠償額になるのはどのような場合か。契約が締結され、一定額の金銭が授受された場合には、当事者間には次のいずれかの法律関係が成立する。(a)手附金の放棄、倍戻しによる解除権が発生する場合。(b)手附金の放棄、倍戻しによる解除権が発生しない場合。(a)の場合には、「履行ノ著手」以前に一方当事者が契約解除の意思表示をすれば、契約は解除され、解除権行使者の相手方は――解除権行使者の手附金放棄、もしくは倍戻しの結果――手附金相当額を取得しうる。それに対し、(a)の場合において「履行ノ著手」にあたる事実が発生した結果、手附金の放棄、倍戻しによる解除権が消滅した場合および(b)の場合には、各当事者は、相手方当事者が契約を不履行すれば、契約の特定履行を請求するか、損害賠償を請求するかを選択しうる。その場合にもしその当事者が損害賠償請求を選択したとすれば、彼はどれだけの金額を損害賠償として請求しうるであろうか。この問題に関する判例は次の四つである。以下ではまずそれらを列挙し、つぎに、それぞれがどの限度で先例価値をもつべきかを考察しよう。

【28】 大、小豆の売買契約が締結され、買主は三〇〇円を売主に交付した。その契約書には「若シ右期日ヲ怠リ又ハ劣等ノ品物ヲ引渡ストキハ、契約ヲ取消シ手附金二倍ノ正金円ヲ買主に支払フコト。但天候不良ノ時ハ此限ニ非ス」、という条項が含まれていた。売主がその契約を不履行したらしく、買主は既払金三〇〇円の返還、及び、それと同額の損害賠償を請求して本訴に及んだ。第一・二審買主勝訴。売主は上告し、買主が売主の不履行を理由として契約を解除する場合でも民法第五五七条二項が適用されるから、買主は損害賠償を請求できない、と主張した。棄却。

「然レトモ民法第五百五十七条第一項ハ買主カ売主ニ対シ手附ヲ交付シタルトキハ其一方カ契約ノ履行ニ著手スルマテハ買主又ハ売主ハ何時ニテモ契約ヲ解除スルコトヲ得ルモノトナシ即チ手附ノ交付ニ因リテ各当事者ハ解除権ヲ留保スルモノト為シ而シテ買主カ其解除権ヲ行使スル場合ニ於テハ売主ニ対スル損害賠償トシテ其手附ヲ抛棄スヘク売主カ解除権ヲ行使スル場合ニ於テハ買主ニ対スル損害賠償トシテ手附金ノ倍額ヲ償還スヘキモノト為シタルモノトス故ニ此場合ニ於ケル契約ノ解除ハ各当事者カ契約ニ因リテ有スル解除権ノ行使ニ依ルモノニシテ相手方ノ債務不履行ヲ原因トスルモノニアラス従テ債務不履行ニ因ル契約ノ解除ニ在リテハ解除権者ハ自己ノ被リタル損害ノ賠償ヲ相手方ニ対シ請求スルコトヲ得ルニ反シ民法第五百五十七条第一項ニ依ル契約ノ解除ニ在リテハ解除権者ハ相手方ノ被リタル損害ヲ其相手方ニ賠償スルコトヲ要スルモノト謂フヘク又手附ノ交付ニ因リ解除権ヲ留保シタルトキハ契約ヲ以テ解除ニ因リ生スヘキ損害ヲ予定シタルモノナレハ解除ニ因リ相手方カ一層多大ナル損害ヲ被リタルトキト雖モ予定セラレタル手附金又ハ其

二倍ノ金額ヨリ以上ノ損害ヲ賠償スルコトヲ要セサルモノトス是レ民法第五百五十七条第一項ニ定ムル契約ノ解除カ債務不履行ニ因ル契約ノ解除ト異ル所ニシテ債務不履行ニ因ル契約ノ解除ニ関スル民法第五百四十五条第三項ハ之ヲ適用スルコトヲ得ス民法第五百五十七条第二項ハ此趣旨ヲ明カニシタルモノトス此ノ如ク債務不履行ニ因ル契約ノ解除ハ民法第五百五十七条第一項ニ定ムル契約ノ解除ニ対シ別箇ノ範疇ニ属スルヲ以テ相手方ヲ契約上ノ債務ヲ履行セサル場合ニ於テ当事者ノ一方カ其不履行ヲ原因トシテ契約ヲ解除シタルトキハ其契約ニ於テ偶々手附ノ交付ニ因リ解除権ヲ留保セラレタリトスルモ其解除権ヲ行使スルニアラスシテ民法第五百四十一条以下ノ規定ニ依ル解除権ヲ行使スルモノナレハ民法第五百四十五条第三項ノ適用ヲ受ケ不履行ニ因リ生シタル一切ノ損害ノ賠償ヲ請求スルコトヲ得ルモノトス従テ民法第五百五十七条第二項ノ適用ヲ受クルコトナシ」(大判大七・八・九民録二四・一五七六)。

【29】　本件土地を四八万円で売買する契約が結ばれ、契約締結の際に手金として一八万円が買主から売主に交付された。同契約によると本件土地の一部を不法占拠している訴外Aを売主が排除しえなかつた場合、または、本件土地について買主への所有権移転登記手続をすることが不能になつた場合には、買主は売主に対し手金の倍額を請求しうる旨定められていた(第一審事実より)。その後、売主の国税滞納の結果本件土地は公売され、訴外Bがその所有権を取得した。そこで買主が売主に対し、手金の倍額三六万円の支払を請求したのが本件である。第一審買主敗訴、原審買主勝訴、売主は上告し、債務不履行を理由として買主が契約を解除した場合に売主が手附金倍額の支払義務を負わせることは手附金制度を認めた民法の趣旨に反する、と主張した。棄却。

「論旨は、本件土地の売買契約につき、売主たる上告人が契約解除をしないのに、買主たる被上告人らによる手附金倍戻の請求を認容した原判決には民法五五七条の趣旨に反する違法があると主張するけれども、原判決は、本件土地が上告人の国税滞納により公売せられて第三者の所有に帰し、被上告人らにこれを引渡すことが不能となつたのであるから、上告人の責に帰すべき事由により履行不能となつたものであり、且つこのような場合、買主は売主に対し既に交付した手附金の倍額の支払を請求し得る旨の特約をなした旨を認定したものであること、判文上明らかである。しかして、売買契約の当事者が特約をもつて違約手附の約定をすることは、民法五五七条の解約手附の規定の禁ずるところではないから、被上告人らにおいて右特約により手附倍戻の請求をなし得ることを認容した原判決には、所論のような違法は認められない。」(最判昭三八・九・五民集一七・八・九三二)。

【30】 原告は、Aから山林を買受ける契約を結び、Aに八万円交付した。原審は、その金銭の性質について、「金八万円ハ売買代金ノ内金ニアラスシテ手附金トシテ授受セラレタルモノトシテ、若シ期限迄ニ支払ヲ為サザルトキハ右売買契約ヲ解除シ、該手附金ハ之ヲ訴外人ニ於テ没収スベキ」趣旨であつたと認定している。原告は、約定期日に残金一五万円を支払えなかつたので、その支払期日の延期を求めたが、延期された期日にも支払をしなかつたので、Aは売買契約解除の通知をし、その後同山林を被告に売渡した。原告は、八万円の返還をAに請求する権利があると主張し、被告に対し被告の行為は原告のこの権利を詐害するからその取消を求めると主張して本訴に及んだ。第一・二審原告敗訴。原告は上告し、上記契約は原告が単に履行遅滞した場合にAが八万円を没収しうる旨定めたものであり、履行遅滞の結果契約が解除された場合について定めたものではない。後者の場合は契約そのものが消滅するから、八万円没収しうるという特約も消滅する、と主張した。

「所論ノ売買契約ニ於テ約定期限ニ代金ノ支払ナキトキハ手附流トナル旨ノ特約アリトノ被上告人ノ主張ハ残代金債務ノ履行遅滞ニ因リ契約ノ解除セラレタル場合ニハ売主ハ手附ノ返還ヲ要セサル特約アリトノ趣

旨ヲ包含スルモノト解シ得ヘシ従テ論旨モ亦理由ナシ」（大判昭八・二・一四新聞三五二〇・一五）。

【31】　原告は昭和一七年八月一五日迄に被告のためにA株式会社株式をなるべく多数買集める、原告は買集め後五日以内にどれだけ買集めたかを被告に通知し、それにより売買完結の意思表示を行なう、被告はその通知をうけた日から五日以内にそれら株式を一株五六円一〇銭の割合で引取る、という契約（売買予約）が原告、被告間に成立し、原告は被告から保証金五、〇〇〇円を受領した。原告は、その約旨に従い、八月一〇日迄に同社株式一五二〇株を買集め、株式引渡の準備をして、被告に対しその代金八五、二七二円の支払を請求した。しかし、被告がその請求に応じないので、原告はその契約を解除し、被告の債務不履行により原告が蒙つた損害六五、五一二円の支払を請求し本訴に及んだ。第一・二審原告勝訴。被告は上告して、自己が原告に差入れた五、〇〇〇円は違約罰の作用をなす所謂違約手附であるから（損害賠償の予約としての手附の意味）、被告の責に帰すべき事由により契約が失効した場合には被告はその額以上の損害賠償責任を負わない、と主張した。棄却。

「売買の当事者間に手附が授受された場合において、特別の意思表示がない限り、民法五五七条に定めている効力、すなわちいわゆる解約手附としての効力を有するものと認むべきである。これと異る効力を有する手附であることを主張せんとする者は、前記特別の意思表示の存することを主張・立証すべき責任があると解するのが相当である。上告人は本件手附の効力として民法五五七条に定める効力とは異るものを主張しているのであるから、原審が上告人主張のような効力を有する手附と認むべき証拠がないとして、これを認めなかつたのは正当であつて、原判決には所論の違法はない」（最判昭二九・一・二一民集八・六四）。

これらの判例の内、【30】は、詐害行為取消請求に関する判例であるから、ここで考察の対象とするのは不適当であると思われる。それゆえ、残りの判決がこの問題についてどのような先例価値を持つべきかを考察しよう。

通説は、手附金は原則として損害賠償の予定の性質を有せず、特約がなされた場合にのみその性質を有する、と主張している。その理由は、次の点にある。民法五五七条一項は手附が解約手附の性質を有する、と推定している。しかし、損害賠償の予定としての手附の性質を有する、とは推定していない。したがつて、特約がない限り、それは損害賠償の予定としての手附という性質を有しない。したがつて、契約当事者の一方が債務不履行した場合に、特約が結ばれていれば他方当事者は手附金額だけの損害賠償を請求できるし、特約が結ばれていなければ現実に蒙つた損害額だけを請求できる。

それでは、どのような約定が「損害賠償の予定」の特約になるのだろうか。通説によれば「買主本契約ヲ不履行ノ時ハ手附金ハ売主ニ於テ没収シ返却ノ義務ナキモノトス、売主不履行ノ時ハ買主ハ既収手附金ヲ返還スルト同時ニ手附金ト同額ヲ違約金トシテ別ニ賠償シ以テ損害補償ニ供スルモノトス」という趣旨の条項は当然その特約になる。

この通説の見解を基礎として上述した諸判例を統一的に理解することは勿論可能である。その場合には、【31】において授受された金銭が損害賠償の予定としての手附と認定されなかつた理由は――判旨が述べているように――特約が結ばれていなかつたからであり、【28】【29】において損害賠償の予定としての手附と認定された理由は特約が結ばれていたことにある。

しかし、われわれは、解約手附と損害賠償の予定としての手附との考えを通説のように考えることに疑問をもつ。そして、通説と異なるわれわれの考え方を前提とすれば、上記の諸判例の先例価値も異なることになる。以下では、通説への疑問、われわれの見解を述べ、最後にわれわれの見解を前提とすると上記の諸判例はどのような先例価値をもつべきことになるか、をあきらかにしたい。

通説への疑問。契約締結時に一定額の金銭が授受されたときには、その金銭が解約手附の性質を有することは推定されるが、損害賠償の予定としての手附の性質を有することは推定されない、という前提が妥当ではないように思われる。その理由はこうである。通説の見解によると、次のような結論が導びかれることになる。すなわち――手附金が授受されている場合には各当事者は契約締結後も授受された手附金の限度で契約を履行する責任を負う（手附金を放棄、倍戻しして契約を解除しうる）。そして、「履行ノ著手」後は不履行当事者は、相手方当事者の選択により契約を特定履行するかあるいは、損害賠償を支払うかを強制されることになるが、相手方当事者が損害賠償請求を選択した場合に不履行当事者が支払うべき賠償額は、手附金相当額ではなく、相手方当事者の実損害額ということになる。したがつて、実損害額が手附金額以下であれば、損害賠償額が却つて軽減されることになる。しかし、実損害額如何にかかわらず手附金相当額の責任を負つていた者が、「履行ノ著手」後は――かえつて損害賠償額を軽減される、という結論は妥当でないように思われる。

それでは、契約締結時に一定額の金銭が授受されたことは、損害賠償額の予定と推定さるべきであろうか。われわれは次のように考える。

（一）　或る取引社会に手附に関する慣習がある場合　このような取引社会において契約締結時に一定額の金銭が授受された場合には、既にのべたように、各当事者は「履行ノ著手」迄は授受されたその金額の限度でしか合意を履行する責任を負っていないと共に、その金額の限度までは合意を履行する責任を負っている、と推定される。この場合において、合意を履行することを免れたいと欲する当事者が「自己の責任の限度が授受金額に限られる」と主張する場合には授受された金銭を解約手附だと構成することになり、逆に、その相手方当事者が「合意を履行しない当事者は授受金額の限度までは履行の責任を負っている」と主張する場合には、授受された金銭を損害賠償の予定としての手附と構成することになろう。したがって、この段階では、授受された金額は解約手附であると共に損害賠償額の予定としての手附だと推定さるべきである。次に、「履行ノ著手」後に一方当事者が相手方当事者の債務不履行を理由として契約を解除した場合はどうであろうか。既に述べたように元来は、どのような場合でも手附金で清算する、というのが手附の慣習であり、「手附金を違約金とする」という条項の趣旨であったと思われる。一五八頁で述べたように今日ではこの考えはくずれつつあるれども、「履行ノ著手」後に契約を解除し損害賠償を請求する場合には、やはりこの基本的考え方にもとづき、賠償を請求する者は手附金額を請求し得、またその金額しか請求しえない、と考えるべきであろう。ただ、例外として、履行不能に基づく塡補賠償を請求する場合には賠償を請求する者は実損額を挙証すればその額を請求しうると考えるべきであろう。何故ならば、債務不履行を理由とする損害賠償請求における不履行者の責任を常に手附額に限定すると、目的不動産の価格が暴騰した場合に売主はそれを他に転売してしまえば買主に対して手附金額だけを賠償すればすむことになる。これでは、「履行ノ著手」による解除権の制限が最も重要な作用をすべき場合に、それが実際には骨抜きになつてしまう。したがつて、履行不能の場合において実損額が手附金額を越えることが挙証された場合には、不履行当事者は実損額を賠償すべきだと思われる。

(二)　或る取引社会に手附に関する慣習が存在しない場合　前述したようにそのような取引社会においては契約締結時に授受された金銭は解約手附と推定さるべきではない。また、そこでは、その金銭は損害賠償の予定としての手附と推定さるべきでもないであろう。ここではその金銭は証約手附(ここでいう証約手附の意味については前掲一二五頁参照)、または内金(一八五頁参照)という意味をもつていると考えられる。

このようなわれわれの見解を前提とすると、前記の諸判例は次のような先例価値をもつ。

手附の慣習がある取引社会において契約締結時に一定額の金銭が授受された場合――すなわち、交付された金銭が解約手附の性質をもつと推定される場合――において一方当事者が合意を履行しない場合には、他方当事者は少なくとも手附金額までは請求しうる(【2928】)。他方、履行不能の場合において、実損害額が手附金額より多く、したがつて実損害額の支払が請求された場合に、その請求が認められるか否かについては、判例はない。

手附の慣習がない取引社会において、契約締結時に一定額の金銭が授受された場合において、その金額が実損害よりも少なく、したがつて、実損害額の支払が請求された場合には、その請求は認められる(【31】)。契約締結時に授受された金額が実損害額より多く、したがつて、債権者が、契約締結時に授受された金額を請求した場合に、彼のこの請求が認められるか否か、については判例はない。

二　契約締結の際に授受された金額が遅延損害賠償額になる場合はあるか。

一方当事者が履行遅滞した場合に、他方当事者が契約を解除することなく、履行遅滞の損害賠償として「手附金」の没収もしくはその倍額の請求をしうるだろうか。その点については、次のような東京控訴院の判例がある。

【32】　材木の売買契約締結の際に買主は三〇〇円を売主に交付した。その契約には、「前記売渡に関し違約之有時は本日領収したる手附金三百円は勿論違約賠償金として金三百円合計六百円を貴殿へ異議なく御支払可申者とす」という条項が含まれていた。売主が約定期日迄に材木を引渡さないので、買主は契約の解除を主張することなく、売主に対し、手附金三〇〇円の返還、および、それと同額の違約金の支払を請求した。裁判所は売主に対し違約金三〇〇円の支払のみを命じた。

「甲第一号証第八項の「前記売渡に関し違約有之時は本日領収したる手附金三百円は勿論違約賠償金として金三百円合計六百円を貴殿へ異議なく御支払可申者とす」との約旨に基き控訴人は手附金以外の違約金三百円を被控訴人に支払ふべき義務あるものとす然り而して被控訴人請求の六百円中の三百円は右約款に示す手附金として交付せられたるものにして之が返還を求むるに在りと雖も手附金を交付したるときは当事者の一方が契約の履行に着手するまでは買主は手附金を抛棄し売主は其倍額を償還して契約の解除を為すことを得べきものにして手附金は右契約解除の損害の担保たる効用を有するものなるを以て契約の存続中之を存続

せしむるを通例とす而して前示約款の趣旨亦契約の履行に代はる損害の賠償を為す場合又は契約の解除に基く損害の賠償を為す場合に於て之が返還を為すに在りと解するを妥当とし遅延に因る損害賠償の請求を為す場合に於ても之と併せ手附金の返還を為すの約旨なりと解するに足らざるを以て被控訴人の手附金の返還請求は失当とす」（東京控判大六・三・九新聞一二五五・二三）。

それに対し、先に紹介した【26】では、原告は契約の特定履行の外に被告の履行遅滞による損害賠償として手附金相当額を請求したけれども、裁判所は次の理由によりその請求を認めなかった。

【33】「最後に被控訴人の損害賠償の請求について判断する。控訴人が現に右目的たる建物を被控訴人に明渡さないことは前示のとおりであり、被控訴人がすでに自己の債務を一旦提供した以上、控訴人はたんに相手方の給付と引換にのみ自己の給付をし得るに止まり、右明渡義務の不履行につき遅滞の責を免れないことも前記のとおりであるから、控訴人はこれによって被控訴人に生ぜしめた損害を賠償すべき義務あることは明らかである。原審証人阿部勝之進（第二回）同赤羽甲の各証言によれば前記建物の相当賃料額が昭和二十六年十一月一日から以後少くとも一カ月金三十万円を下らないことが認められるから、特段の反証のない本件においては、控訴人は右明渡義務の不履行により昭和二十六年十一月一日から右明渡ずみにいたるまで一カ月金三十万円の損害を被控訴人にこうむらせているものとして被控訴人に対しこれが賠償の義務があり、この点に関する被控訴人の請求は原審認容の右の限度において正当として認容すべきものである。もっとも前記契約書第七項に定めた損害賠償額の予定は本件履行遅延による損害賠償についても適用があるのではないかとの疑問がないわけではないが、本件においては、右特約をもって債務不履行一般に原因する損害の賠償額予定をしたものと解すべき資料は現われないのみならず、本件弁論の全趣旨によれば、当事者双方とも右のような意味の主張をするものでないこと明かであるから、これは前にも説示したようにどこまでも、債

務不履行を理由として契約が解除された場合についての損害賠償予定と解するのが相当であるから右特約の存在は本件履行遅延による損害賠償には関係ないものといわなければならない」(東京高判昭二九・五・二九下級民集五・五・七六二)。

この二つの判例は矛盾していると考えるべきだろうか。【32】の判例では、買主は、契約の特定履行を請求せず、しかも、特に、契約解除も主張しないで、手附金の倍戻を請求している。契約の特定履行を請求せずに遅延賠償を請求することは通常は考えられないことである。したがつて、この事件には何か特殊な事情があつたと推測される。それゆえ、この判例をこの問題の先例として取扱うことは妥当でないように思われる。

この問題はどのように考えるべきであろうか。売買契約締結の際授受された金銭は――特に定められていない限り――履行遅滞による損害賠償額にはならないと考えるべきだと思う。その理由はこうである。契約を特定履行しない場合に各当事者は手附金額だけの責任を負うというのが解約手附の慣習であり、したがつて、手附金額は契約関係清算の際の損害賠償額にほぼ相当しているものと思われる。それゆえ、その金額を履行遅滞の場合の損害賠償額とすることは妥当ではないであろう。

三　債務不履行があれば契約が当然解除される、という特約

不動産売買契約等では、しばしば、手附損倍戻しに関する特約と同時に、当事者の一方が契約に違反したときは契約は当然解除される、という趣旨の特約が結ばれる。その場合に買主が契約に違反した場合には、契約は当然に解除され、交付された金銭は没収される。

【34】 本件土地の売買契約締結の際に、手附金が交付された。原審の認定によれば、約定期日に契約が履行されない場合には、契約は当然解除される旨定められていた。その後、買主は売主に代金支払期日の延期を求めたが、売主はそれを承諾せず、約定期日に登記所に出頭した。しかし、買主はその日に出頭せず、その後買主から指定した延期期日に登記所に出頭した。けれども、その日には売主が登記所にあらわれなかったので、買主は手附金の返還および同額の違約金の支払を求めて本訴に及んだ。

「按スルニ不動産ノ売買ニ付其登記ヲ為ストキハ買主ハ其所有権取得ヲ第三者ニ対抗スルコトヲ得ヘク其引渡ヲ受クル以前ニ在テモ之ヲ処分スルコトヲ得ヘキヲ以テ例ヘハ売買ノ目的物タル土地ノ境界カ判然セサル等ノ如キ特別ノ事情アルトキ又ハ特約アルトキハ登記ヲ為スモ売主カ目的物ノ引渡ヲ為ス迄ハ買主ニ於テ代金ノ支払ヲ拒ムコトヲ得ヘシト雖モ如上ノ事情存セサルトキハ売買ノ登記ヲ為スト同時ニ買主ハ代金ノ支払ヲ為スヘキモノニシテ売主カ目的物ヲ引渡ササルコトヲ理由トシテ代金ノ支払ヲ拒ムコトヲ得サルヤ当然ノ事理ナリトス故ニ不動産ノ所轄登記所ニ於テ売買代金ヲ授受スヘキ場合ニ於テ契約履行ノ期日ニ売主カ其登記ヲ為スノ目的ヲ以テ登記所ニ出頭シタルトキハ売主ハ債務ノ本旨ニ従ヒタル弁済ノ提供ヲ為シタルモノト云フヘク買主ニシテ該期日ニ登記所ニ出頭セサルカ若クハ出頭スルモ代金ノ支払ヲ拒ミタルトキハ買主ハ遅滞ノ責ヲ免カルルヲ得サルモノト云ハサルヘカラス本件ニ於テ原判決ノ確定スル所ニ依レハ上告人ニ於テ売買代金残額ヲ大正五年七月十日ニ支払ハサルトキハ係争ノ土地売買契約ハ当然解除ト為ル特約アリテ引渡ニ関シ前掲ノ如キ特別ノ事情及ヒ特約ナキト同時ニ被上告人ハ該期日ニ売買登記ヲ為ス目的ヲ以テ所轄登記所ニ出頭シタルモ上告人ハ出頭セス従テ被上告人ハ債務ノ本旨ニ従ヒ弁済ノ提供ヲ為シタルニ拘ハラス上告人ハ残代金ノ支払ヲ怠リタルモノナリト云フニ在レハ原院カ係争売買ハ上告人ノ債務不履行ニ因リ当初ノ特約ニ基キ大正五年七月十日当然解除ト為リタル事実ヲ断定シタルハ至当ニシテ原判決ハ上告所論ノ如キ不法

アルコトナシ」（大判大七・八・一四民録二四・一六五〇）。

なお、【29】の判例には、そこで挙げた判示事項以外に、債務者の責に帰すべき事由による履行不能になつた後に、交付した手附金が損害賠償の予定であることを理由として、債権者がその金額の倍戻しを請求する場合には、特別に契約解除の手続を必要としない、という判示がある。すなわち——。

【35】「論旨は、原判決が手附金倍額の支払を命ずるに当り、本件売買契約が解除されたか否かを判断しなかつたのは、理由不備の違法があると主張するけれども、原判決が、本件違約手附の特約には、契約関係清算のための損害賠償額の予定を含むものと認定したことは、判文上明らかであるから、被上告人らが契約解除をなすことなく、直ちに右予定額の請求をなしうるものとした原判決には、所論のような違法は認められず、論旨は採用できない。」（最判昭三八・九・五民集一七・八・九三二）。

四　過失相殺

一方当事者が契約上の債務を履行できなかつたことにつき、他方当事者にも過失がある場合には、その過失も斟酌され、損害賠償額は手附金相当額から或る程度減額される。

【36】買主は不動産取引業者。借地上の本件建物を二五〇万円で売買する契約が結ばれ、買主は手附金五〇万円を売主に交付した。その際、契約において、「売主において本契約に違反したときは手附金の倍額を買主に賠償し、買主において違反したときは売主は手附金を返還しないこと」が定められた。その契約を結ぶ際に、売主は、借地権の譲渡につき地主の承諾が得られるか否かを懸念したが、買主が、「従来の経験によれば地主との関係は必ず金銭で解決するから心配ない」というので、売主は、安心して、この売買契約を

締結した。ところが売主は地主の承諾を得ることができなかつたので、買主は売主の債務不履行を理由として契約を解除し、手附金の倍額一〇〇万円を請求して本訴に及んだ。それに対し、売主は地主の承諾を得られないことは買主の思惑ちがいであり、買主に過失がある、と主張した。裁判所は売主の抗弁を認め、売主に八〇万円の支払を命じた。

「そこで最後に被告菊地淳は、本件建物の敷地の借地権の譲渡につき地主の承諾が得られなかつたことは原告の思惑違いで同人に過失があると主張するのでこの点を判断するに、被告菊地淳本人尋問の結果によれば、原告は不動産取引業を営んでいるものであるが本件建物の売買契約の締結を急ぐのあまり、被告菊地が地主に会つたことがないから何とも言えないと言つているのに拘らず本件建物の敷地の借地権譲渡についての地主の承諾は「金銭で解決すれば大丈夫だ。」と軽信し、その旨被告菊地にも告げて契約の締結をうながしたこと（右認定に反する証人中村与四郎の証言及び原告代表者本人尋問の結果は措信しがたい）、そして借地権譲渡について被告菊地が地主の承諾を得られなかつたのは地主には頭初より借地権譲渡を承認する意思がなかつたためのように推断されるので、原告がこれと謂う調査をせずに地主の承諾は金銭で得られると速断し、ためらう被告菊地を促がして前記内容の売買契約を結ぶに至つたについては、原告に不注意があつたものと謂わねばならない。然し他方被告菊地本人尋問の結果及び証人中村与四郎の証言の一部によると、被告菊地は本件建物を昭和三十一年三月十五日公売処分に於て代金五十五万円で競落取得し、その後地主について敷地の賃貸借を認めるかどうか確かめもせず直ちに不動産取引業者たる訴外中村与四郎にこれを代金三百万円で売りに出し、その結果同月二十四日原告との間に代金二百五十万円で本件売買契約が成立したものであるが、右の価格は双方が専ら借地権を重視して評価したものであることが認められるのであつて、かような事情を考慮すると、原告に前記のような不注意の点があつたにせよ、被告にも又本件売買契約を結ぶにつき頗る不信義、不注意があつたことは争えず、その責を凡て原告に転嫁し、被告菊地を全面的に免責することは相当でない。

そして民法第四百十八条は債権法に於ける公平の原則上かかる場合、即ち契約締結上の過失に基く損害賠償の額が予定されている場合にも準用されるべきものと解されるところ、右認定の諸事実を考慮しながら前記の如き原告の過失を斟酌するとき、被告菊地の賠償額を金八十万円に軽減するのが相当である。」(東京地判昭三四・六・二二下級民集一〇・六・一三一八)。

四　手附放棄、倍戻しによる解除、債務不履行を原因とする解除以外の原因により、合意で定められた行為が履行されなかつた場合において、授受された手附金の没収、その倍戻しが行なわれる場合があるか。

二人の当事者が一定期日に一定の行為を行なうという合意が成立したが、その後、当事者が約定期日にその行為を行なわなかつたという事態は、一方当事者が手附を放棄、倍戻して契約を解除した場合、一方当事者の責に帰すべき事由による履行不能、履行遅滞が発生した場合の外にも種々の原因により生じる。たとえば、契約が不成立であつた場合、契約が無効であつた場合、目的物が不可抗力により滅失した場合、契約が合意解約された場合等々である。このような場合に、手附金の没収、もしくは倍額の請求はみとめられるのだろうか。それとも、手附金相当額が返還されるのだろうか。

一　契約の不成立

木炭一万俵を払下げる旨の合意が成立し、買主から売主に手附金が交付され、その際に「代金額は後に協議する」と定められていたところ、後に代金額について協議が成立しなかつた場合には、裁判所は売主に手附金の返還を命じている（本件の手附金は、おそらく、通常ならば、解約手附の性質を有する、と認定されるものであろう）。

【37】「被控訴人が昭和二五年九月二五日控訴人より、控訴人が同年一月に営林局より払下を受けることに決定した前橋営林局品川木炭倉庫にある木炭一万俵（一俵四貫入）を、受渡期日は控訴人が営林局から正式に払下を受ける同年一一月上旬、売買代金は控訴人が正式に払下を受ける昭和二五年一一月上旬現在の木炭御売業者の時価による購入価格（東京都内各駅レール渡価格）を標準として控訴人被控訴人間で協議して決定すること、引渡場所は前記品川木炭倉庫とすることの約定で、買い受けるべき契約を締結し、同日被控訴人が控訴人に対し手附金四十万円を交付したところ、右売買代金額について結局被控訴人間に協議がととのわなかつたことは当事者間に争がなく、右代金額の協定に関する約定は、時価そのものによつて代金を決定するというのではなく、時価を標準として被控訴人控訴人双方協議の上決定するという趣旨であり、従て右売買契約はその内容の最も主要なる代金額につき当事者の協議がととのわない以上その代金の定めがなかつたと同様の結果となり売買契約としての効力を生じなかつたものである。従て売買契約が効力を生じたことを前提とし、これが解除を原因として右手附金の返還を求める被控訴人の請求は理由がないが、売買契約の有効に効力を生じたことを前提として控訴人に交付された手附金は、法律上の原因を欠く不当利得として、被控訴人に返還さるべきものである」（東京高判昭二八・五・二九東京高時報四・二）。

二　契約の無効

原始不能により契約が無効であるという場合について、裁判所は、契約締結について売主に故意、過失があれば、買主は手附金の倍額を請求しうる、と判決している（本件手附は解約手附の性質を有するものであろう）。

【38】　本件建物およびその敷地に対する借地権を一七万五千円で売買する契約が結ばれ、その際買主は二万五千円を売主に交付した。その契約によると、買主はその翌日さらに一万五千円を売主に支払い、その後二回に分けて残代金を売主に支払うこと、契約締結日およびその翌日に支払われた金銭の合計四万円を手附とし、買主が契約を不履行した場合には売主はこれを没収し、売主が不履行したときは売主はその倍額を買主に返還すること、が定められており、買主はその契約に従い契約締結の翌日売主に一万五千円を支払つた。ところが、その後、右敷地は東京都所有の土揚敷であり、売主はその土地の借地権を有さず、また、それを取得することも不可能であることが判明した。そこで、買主は前記特約に基き、売主に対し八万円の支払を請求した。買主勝訴。

「しかしながら、売買契約に附随してなされる手附倍返の特約は、その本質は売主が不履行をした場合の損害賠償の額を予定し、これが支払の責に任ずる契約であつて、売主がその債務を履行しない場合に始めて効果を発揮するものであるとともに、原始不能による売買の無効は、これを結果的に見れば、売主がその債務を履行しない場合と何等選ぶところはないから、原始不能の売買契約を結んだ売主に故意、過失のあつた場合には、売買それ自体は無効であつても、その売買に附随してなされた手附倍返の特約はなお効力を有し、売主はその債務不履行の場合に準じて特約上の債務を免れ得ないものと解するを相当とする。さて、本件にあつては、被告は右売買の目的物の一つである建物の所有者として前認定のような原始不能の事実は充分にこれを知つていたものというべきであるが、しかるときは、被告は右無効の売買契約の締結について故意少くとも過失のあつたものと認めるの外はないから、被告は右売買に附随してなされた原告主張の手附倍返の特約上の債務を免れ得ないものといわなければならない」（東京地判昭二六・三・一六 下級民集二・三・三八六）。

また、契約が公の秩序に反する結果無効である場合には、手附金を交付した買主は、手附金の返還を請求しえない、と判決されている。

【39】 本件土地を八、〇〇〇円で売買する契約が結ばれ、買主は一、〇〇〇円を売主に交付した。買主は外国人であつたが、契約締結の際には偽名を使つていたらしい。その後、買主は、自分が外国人であるから本契約は法規に違反し無効である、と主張して交付した金銭の返還を求めて本訴に及んだ。第一・二審買主勝訴。売主上告。破棄自判。

「外国人ハ現ニ我国ニ於テ土地ヲ所有スルコトヲ得サルハ明治六年大政官布告第十八号地所質入書入規則第十一条ニ明規スル所ニシテ該規則タルヤ公ノ秩序ニ関スル強行的法規ナルヲ以テ之ニ違背シ外国人ヲシテ土地ノ所有権ヲ取得セシムル行為ノ無効タルハ勿論其ノ行為ヲ原因トシテ為シタル給付ハ其ノ原因カ公ノ秩序ニ反スルモノナルヲ以テ民法第七百八条ノ所謂不法原因ノ給付ニ該当スルモノト解セサルヘカラス然ラハ原判決カ論旨摘録ノ如ク判示シ本件土地ノ売買契約ハ前記法令ノ禁止規定ニ違反シ無効ナレトモ該行為自体ハ公ノ秩序善良ノ風俗ニ反スルモノト認メ得サルヲ以テ被上告人ノ為シタル本件手附金ノ給付ハ民法第七百八条ノ所謂不法原因ノ為ノ給付ナリト謂フヲ得スト為シタルハ違法ニシテ論旨ハ此ノ点ニ於テ理由アルヲ以テ原判決ハ破毀ヲ免レス」（大判大一五・四・三〇新聞二五六四・一三）。

三 他人の権利の売買

他人の権利につき売買契約が成立したが、売主がその権利を取得しえなかつたので契約を履行しえなかつた場合に、売主は「手附金」を倍戻しすべきであろうか。民法第五六一条但書によると、契約の目的となつている権利が売主に属しないことを契約当時買主が知つていた場合には、買主は損害賠償を請求しえない。しかし、次の下級審判例は、手附損、倍戻しの特約がある場合には、その例外として買主は手附金の倍戻しを請求しうると判示している。

【40】「本件売買契約締結当時其ノ目的不動産カ売主タル控訴人ノ所有ニ属セスシテ訴外末竹浜左衛門ノ所有ナリシコトヲ被控訴人ニ於テ知リ居タリシコトヲ認メ得ヘシト雖モ……不動産売買契約書ニハ其ノ第五項ニ「甲(控訴人)ニ於テ本契約履行セサル時ハ手附金ノ倍返シヲ為シ乙(被控訴人)ニ於テ本契約履行セサル時ハ手附金ハ之ヲ没収ス」トノ記載アリ不動産売買契約履行ノ件ニ付延期契約書ノ本文中ニハ「然シテ該期日迄ニ契約履行セサル場合ハ昭和十三年十二月二十八日附不動産売買契約書、契約条項第五号ノ事項必ス履行仕リ貴殿ニ毫モ御損害相懸ケ申間敷候」ト明記セラレ居リテコレト原審証人笹本与長及ヒ当審ニ於ケル被控訴本人ノ供述トヲ綜合考察スレハ本件契約締結ノ際被控訴人ハ目的不動産カ控訴人以外ノ第三者ノ所有ニ属スルモノナルコトヲ知悉シタル上特ニ其ノ不履行ニツキ損害金ヲ授受スヘキ旨ノ特約ヲナシタルモノト認メ得ヘク民法第五百六十一条但書ハ任意規定ナルヲ以テコレト異ナル特約ヲナシタル本件ノ場合ノ如キニアリテハ其ノ特約ノ効力ヲ認メサルヘカラサルモノナレハコノ特約ニ基キ控訴人ノ不履行ニヨリ控訴人ハ被控訴人ニ対シ右手附金千七百六十五円八十銭及ヒ之ト同額ノ損害金以上合計金三千五百三十一円六十銭ヲ支払フヘキ義務アリト断セサルヘカラス」(東京控判昭一六・四・七評論三〇民三一一)。

四　合意解除

合意解除がなされた場合に売主は交付を受けた金銭を買主に返還すべきか、それともそれをそのまま取得しうるのだろうか。これは、勿論、解約の合意の際に当事者がこの点をどのように定めたかにより決定されるが、売主は手附金没収の特約の存在を挙証しなければならない。

【41】「手附ハ或ハ単ニ契約ノ締結セラレタル確証（シルシ）トシテノミ交付セラルルコトアリ此ノ場合

契約カ無効ナルカ又ハ取消サレタルトキハ手附ハ固ヨリ之ヲ返還セサルヘカラス其ノ他法定ノ解除権カ行使セラレ若クハ解除ノ合意カ成立シタル場合亦同シ蓋契約ノ解除ト謂フハ恰モ当初ヨリ契約ナカリシト同一ノ状態ニ還元セムトスルモノナルカ故ニ契約ニシテ一旦解除セラレタル以上各当事者ハ其ノ受ケタル給付ヲ相手方ニ返還シ以テ原状回復ヲ為スヘキハ当然ノ理ナレハナリ（但特約ニ依リ之ニ反スル定ヲ為シ若クハ契約失効ノ原因カ手附交付者ノ責ニ帰スヘキ場合等ハ此ノ限ニアラス）而シテ所謂手附損倍戻ノ定メナルモノハ手附若ハコレト同額ノ犠牲ヲ払フコトニ因リ一方ノ意思ヲ以テ自由ニ契約ヲ解除スル権利ヲ留保シタル趣旨ナルカ故ニ此ノ解除権ノ行使ニ基クコト無ク合意ヲ以テ契約ヲ解除シタル以上手附ノ返還セラルヘキハ冒頭所述ノ場合ト何等選フトコロ無シ若シ特約其ノ他ノ事由アリテ手附ハ之ヲ返還スルヲ要セスト主張スル者アラハ其ノ立証責任ノ此ノ主張者ニ在ルヤ論ヲ俟タス本件ニ於テ原判決ハ角田力松ト被上告人トノ間ニ売買契約カ合意解除セラレタル事実ヲ確定シナカラ「手附金五百円ヲ同訴外人ニ返還スヘキ旨ノ契約成立シタリトノ事実ニ付テハ控訴人（上告人）ノ提出援用ニ係ル全証拠ニヨルモ之ヲ認ムルヲ得ス」ト判示シタルハ挙証ノ責任ニ関スル法則ヲ誤リ延ヒテ審理ヲ尽ササル違法アリ」（大判昭一一・八・一〇民集一五・一六七三）。

五　不可抗力による目的物の滅失

裁判所は――いずれも下級審であるが――目的物が不可抗力により滅失した結果売主が債務を履行できなくなつた場合に、買主の手附金返還請求をみとめている。裁判所が、これらの場合に、種々の理由づけを使つて民法の危険負担の規定の適用を排除していることは注目に価する。

【42】　本件家屋を八、六〇〇円で売買する契約が結ばれ、その際買主は二、〇〇〇円を売主に交付した。その契約には、「契約期間内に［目的不動産が］火災に罹り又は天災地変等不可抗力のために滅失した場合に

は、売主は手附金をそのまま買主に返還し、契約を解除することを得」（傍点引用者）、という条項が含まれていた。契約期間中に目的不動産が大震災で滅失したので、買主は売主に対し二、〇〇〇円の返還を請求して本訴を提起した。買主勝訴。

「甲第一号証ニヨレハ契約条項第五項ニハ若シ契約期間中万一家屋カ火災ニヨリ焼失シタル場合ニハ売主ハ手附金ヲ其儘買主ニ返還シ契約ヲ解除スルコトヲ得ル旨ノ特約アリタルコトヲ認メ得ヘク而シテ該文言ハ一見売主ニ対シテノミ解除権ヲ留保スルモノノ如キ観ナキニアラスト雖本件ノ如ク特定物ノ売買ニアリテハ売買成立後不可抗力ニ基ク目的物ノ滅失毀損ノ危険ハ買主ノ負担ニ帰スヘキモノナレハ売主ハ契約ヲ解除スルニ付何等ノ利益ナキヲ以テ売主ノ為ニ解除権ヲ留保スヘキ謂レナク却ツテ買主ハ斯ル場合契約ニヨリ危険ノ負担ヲ免ルルヲ得ヘキ故解除権ノ留保ハ買主ニトツテ利益アリト謂フヘク従ツテ右特約ハ買主ノ為ニ解除権ヲ留保シタルモノト解スヘキモノトス、而シテ本件家屋カ大正十二年九月一日ノ震火災ニヨリ焼失シタル事実ハ被告ノ認ムルトコロニシテ大正十三年十月十八日前ニ於テ原告カ被告ニ対シ本件契約ヲ解除スル旨ノ意思表示ヲ為シタルコトハ前記証人ノ証言ニヨリ成立ヲ認ムヘキ甲第二乃至第六号証及同第七号証ニヨリ推認スルニ足ルヲ以テ本件契約ハ之ニヨリ解除セラレタルモノト謂フヘク前記手附金ニ対スル支払命令カ大正十三年十一月十五日被告ニ送達セラレタル事実ハ被告ノ争ハサルトコロナルヲ以テ被告ハ原告ニ対シ手附金二千円及之ニ対スル大正十三年十一月六日以降完済迄年五分ノ割合ニヨル損害金ヲ支払フヘキ義務アルモノトス」（東京地判大一四・一〇・二一新報五六・二五）。

【43】「売主の漁場たる静岡県網代および神奈川県真鶴に敷設したる大謀網の一部たる古鰤網」一万貫を一万四千円で売買する契約が結ばれ、その際買主は一万円を売主に交付した。（代金総額と契約時に授受された金額との比率から考えると、この金銭は解約手附の性質を有するものではないであろう。）ところが、上

記両漁場に敷設した古鰤網は、契約履行期日以前に大震災により全部流出した。そこで、買主は、売主の債務不履行を理由として契約を解除し、民法第五四五条の原状回復請求権に基き一万円の返還を請求した。裁判所は、債務不履行を原因とする請求は失当である、という理由で買主の請求を敗訴させたけれども、傍論において次のように判示している。

「前記売買契約は売主たる被告会社から其営業漁場たる静岡県網代及神奈川県真鶴に敷設したる大謀網にして大正十二年度に於て廃物となるべきものゝ中より約一万貫を買主たる訴外屑物市場株式会社に売渡すべき趣旨なりと認むるを相当とすべく従て之れが給付を求むる債権は古鰤網なる種類を以て指示せられ然かも其種類の存在する場所の範囲を静岡県網代及神奈川県真鶴と限定せられたる所謂制限的種類債権を以て目すべきものなりと謂はざるべからず………右契約上の給付の物体たりし静岡県網代及神奈川県真鶴に於ける被告会社の定置敷設したる右鰤網は履行以前たる大正十二年九月一日大震災に因り全部流失するに至りたる事実は認め得べきが故に給付の物体が特定せざる間に当事者双方の責に帰す可からざる事由によりて給付不能を生じたる場合に該当するものに外ならず、而して民法第五百三十六条第一項に依れば特定物に関する物権の設定移転以外の給付を以て双務契約の目的と為したる場合に於て当事者双方の責に帰すべからざる事由に因りて給付が不能と為りたるときは債務者は債権者に対して反対給付を受くる権利を有せずと規定するを以て右の場合に於ては債務者の負担する債務が消滅すると共に債権者の側に於ても亦其反対給付を為すことを要せざるものと謂ふ可く従て債権者が既に反対給付を為したるか又は手附金の給付を為したる時に於て債務者の負担する給付に付き前示の如き不能を生じたる場合に於ては債権者の該給付は全く法律上の原因を欠くに至る可きを以て債権者は債務者に対し目的の消滅による不当利得の償還を請求し得べき筋合なりと云うべし而して前示認定の如く訴外中央屑物市場株式会社は被告会社に対し本件売買契約締結の日に金一万円を交付したるものなるを以て該金一万円が本件契約の手附金なりや株式売買代金の内入金なりやを問はず訴外中央屑物市場株式会社は被告会社に対し該金額に相当する不当利因の償還を請救することを得べきものなること言を俟たずして明かなり故に原告が右の原因に基き不当利得償還の請求を為すは格別原告の本訴に於て主張する原因に依れば訴外中央屑物市場株式会社は被告会社が前示履行期に履行を為さゞることを理由とし民法第五百四十一条に基きて催告を為し本件売買契約を解除し仍て民法第五百四十五条の規定に則りて被告会社に対し原状回復義務請求権を取得したりと為すものなれば爾余の争点に付き判断を為す迄もなく原告の右請求は之を失当として棄却す可きものとす」（東京地判大一五・一〇・一四新聞二二二六・五評論一六民四五三）。

また、不可抗力による目的物の滅失が原因ではないけれども、売主の責に帰すべからざる理由で売主が約定期日に契約を履行できなかつた場合に、裁判所（下級審）は売主に手附金の返還のみを命じている。

【44】　次のような内容の所謂銀行売買契約が締結され、その際買主は売主に一、〇〇〇円を交付した。「売主は、一定期日迄に合資会社石井銀行の債権債務を決済し、単に総社員の出資額に該当する資産のみが存する状態におき、同時に、買主の指定する者に買主が同銀行に対して有する持分を譲渡し、且つ、他の社員の持分をその者に譲渡させるよう尽力し、これら社員の同意書その他の証書を作成して買主に引渡す。買主は、その引渡をうけた後、一〇日以内に売主に報酬金を支払う」。ところが、この契約締結後、買主は刑事被告事件の嫌疑により拘束されたので、約定期日に契約を履行できなかつた。そこで、売主は契約を解除し、同銀行営業を他に売却した。買主は手附金の返還およびそれと同額の損害金を請求して本訴に及んだ。第一審買主勝訴。売主控訴。控訴審は、売主に対し、収受した手附金の返還のみを命じた。

「而して本件取引が前記の如き運命の下に当事者間に於て竟に其本旨の実現を見るを得ざりしに付ては被控訴人は手附金（此授受は当事者間に争なし）の倍額を控訴人より被控訴人に支払ふべきが即ち当初の約旨なりと主張し控訴人は之を没収すべきが即ち当初の約旨なりと抗争すと雖抑本件取引が右の如き運命に了りしは被控訴人が大正五年四月中に刑事被告人として拘禁せられしに職由するものにして斯る事情の下に於て控訴人の為したる催告解除の処置は決して約旨に背反せざるものなること前段所述の如くなると共に又事玆に至りしに付ては被控訴人の刑事上の責任は如何にも同じ本件取引の当事者としては其責に帰すべき事由に基くものと云ふべからず、結局約旨に所謂不測の事情が出来したる為め竟に本件取引の本旨を実現するを得ざりしに外ならざるが故に此場合手附金の処置としては其儘之を控訴人より被控訴人に返還することが即ち信義を旨とする相当の解決にして当初の約旨上正に此くの如くならざるべからざるところなり、従ひて被控訴人が控訴人に対し甲第一号証第八条の契約より生ずる権利としては金千円を請求するを得るに止まり其倍額たるに千円を請求する権利は之を存せざるものと云はざるべからず」（東京控判大八・一二・一六新聞一六六七・一九）。

五　手附金と内金との関係

実務上手附（解約手附、証約手附、損害賠償の予定としての手附）と内金とがどのように区別されているかは必ずしも明確ではない。しかし、実務上次のような取引が存在する。売買代金八千九百万円。契約時に内金として授受された金額四五〇〇万円。「本契約は甲乙共一方的に解除することは出来ない」という条項がこの契約書には含まれており、他方、違約金や損害賠償の予定に関する条項は何も含まれていない。したがつて、この契約では、締約時に授受された金銭は、解約手附、証約手附、損害賠償の予定としての手附のいずれでもない。この場合には、授受された金銭は代金の一部先払という性質および場合によつては買主違約の場合の売主の損害賠償請求権の担保という性質を有し、他方、解除権の留保という性質を有しない（各当事者はその金銭を拋棄倍戻しして解除できない）。この種の性質を有する金銭を内金と呼び、それに対し、違約の場合の責任の限度を画し（解約手附、損害賠償の予定としての手附）または、損害賠償額の最少限度もしくは一部となる（証約手附）金銭を手附と総称すべきではないか、と思われる。

内金と決定する要件としては、全代金中にしめる比率がかなり高いことおよび、その金銭を違約金とする旨の条項がないことが必要であろう。

なお、判例は、契約締結時に授受された金銭が手附——おそらく解約手附——の性質を有する場合でも、契約履行の際にそれは代金の一部に充当され、それゆえ、買主は売買代金額から手附金額を控除した金額を売主に支払う義務を負うにすぎない、と判示している。

【45】土地の売買契約締結の際に、手附金が授受された。しかし、売主は契約を履行しなかつたので、買主は移転登記手続を求めて本訴に及んだ。原審は、「売主は買主より残代金の支払を受けると同時に本件土地の所有権移転登記をせよ」、という引替判決を下した。売主は上告し、次のように主張した。

「（上告理由）原審ニ於テ本件ニ付キ上告人カ其売買代金ノ一部ヲ既ニ受領シタル事実ヲ認メタルコト更ニ之アルナシ……原判決ハ上告人カ本件売買ニ付キ手附ヲ受取リ居ルコトハ之ヲ認メ居ルモ手附ハ契約解除ノ方法ニシテ代金ニアラス又売買当事者カ手附ヲ以テ手附タルト同時ニ代金ノ内払又ハ前払ナル性質ヲ有セシムル契約ヲ為スコトハ或ハ有効ナリトスルモ何等斯ノ如キ特約ヲ為シタル事実ナキ本件ニ於テハ手附ノ授

受カ当然代金ヲ減額スヘキ理由ヲ為スコトナシ」裁判所は次のような理由で上告を棄却した。「然レトモ買主ヨリ売主ニ交付シタル手附ハ其性質上買主カ契約ヲ解除セスシテ其履行ヲ求ムル場合ニ在リテハ代金ノ内入金ト為リテ其代金中ニ算入セラルヘキモノナルコト言ヲ竢タサル所ナレハ原裁判所カ本件ノ売買代金中ヨリ右手附金ヲ控除シタルモノヲ残代金トシ所論判示ノ旨趣ニテ上告人敗訴ノ判決ヲ言渡シタルハ正当ニシテ所論ノ違法ナシ」（大判大一〇・二・一九民録二七・三四〇）。

賃貸人の修繕義務

望月礼二郎

はしがき

賃貸人の修繕義務に関する民法六〇六条一項の規定が不動産および動産の賃貸借に適用があることはいうまでもない。しかし、判例報告に現われるのは、——少なくとも筆者の知りえたかぎりでは——不動産賃貸人の修繕義務に関する事案だけである。このことは、賃料をとつて物を貸す——あるいは賃料を払つて借りる——関係が少なくとも従来では不動産を対象とするものの方がその社会的意義および頻度において圧倒的に大きかつたこと、不動産賃貸借の方が期間的に長く修繕の必要を生ずることが多いこと、以上のことと関連して不動産賃貸借において貸借関係が物的な権利義務の関係として現われやすいこと、などに起因すると推測される。そうだとすれば、将来自動車、機械家具その他の生活要具の賃貸借がより頻繁におこなわれるようになれば、動産についても修繕義務をめぐる紛争が法廷に現われるようになるかもしれない。

ともかく、右のような事情から、本稿で扱われる判例は、もつぱら不動産賃貸借についてのものであるが、そこでの議論は原則として動産賃貸借の場合にも妥当する。

一　修繕義務の性質

「賃貸人ハ賃貸物ノ使用及ヒ収益ニ必要ナル修繕ヲ為ス義務ヲ負フ」(六〇六Ⅰ)。これは、賃貸借契約において賃貸人が賃借人に対し、「物ノ使用及ヒ収益ヲ為サシムルコトヲ約」したこと(使用収益させる義務を負ったこと)の一つの論理的な帰結である。

「賃貸借ニ依リ賃貸人ハ賃借人ヲシテ使用収益ヲ為サシムル為メ目的物ヲ使用収益ヲ為スニ適スル状態ニ置キ其状態ヲ維持スル義務アル結果トシテ修繕義務ヲ負フモノナリ」(大判大四・一二・一一民録二一・二〇五八、後掲判例【2】)。

地上権(二六五)や永小作権(二七〇)の場合地主はかゝる義務を当然には負わない。

【1】　「賃貸借ノ関係ニ在テハ其所有者カ其土地ノ重モナル修理ヲ担任シ賃借人ヲシテ其使用ニ堪ユヘキ方法ヲ取リ之ヲ使用セシムル義務ヲ負フヘキヲ常トシ又地上権ノ関係ニ在テハ地上権者ハ恰モ所有者ノ如ク土地ヲ使用シ其土地ノ性質ヲ変換セサル範囲内ニ於テ自由ニ修理シ之ヲ使用シ得ヘキモノニシテ所有者ハ之カ修理ヲ担任スル義務ヲ負ハサルヲ通例トスレトモ右両者共敢テ之ニ異ナル特約ヲ為スヲ妨ケス就中地上権タル関係ノ存スル場合ニ於テ所有者カ篤志ヲ以テ幾分ノ修理ヲ加フルモ亦自由ナリ」(大判明三七・一一・二民録二一・一三八五)(本件は、地主がかつて「係争地ノ下水渫下水工事井戸其他木戸便所等ノ建設ニ要スル費用ヲ支出シタルコトヲ認メ得ル」借地関係が賃貸借であるか地上権であるかが争われた事件であり、裁判所は、右の費用が地主によつて「法律上当然ノ義務トシテ」支出されたとはいえず、したがつて、本件借地関係が当然に賃貸借の関係だとはいえぬ、とした)。

もつとも、右のような、賃貸借契約の性質から導かれる賃貸人の修繕義務も特約または慣習によつて全部的または一部的に免除することができる。「特約又ハ慣習ニ依リテ修繕ノ全部又ハ一部ヲ賃借人ノ負担ト為スコト稀ナリトセス例ヘハ井戸、下水道ノ浚渫、畳ノ表替、障子ノ張替等ハ特約又ハ慣習ニ依リ賃借人之ヲ負担スヘキコト稀ナリトセス本条（六〇六条一項）ニ於テハ唯原則ヲ示セルノミ」（梅「民法要義」巻之三債権篇六四〇頁）。

二　修繕義務の発生および修繕の範囲

賃貸人の修繕義務が現実化するのは、賃貸借の目的物につき、修繕の必要な状態（破損）が生じ、かつその修繕が可能な場合である。修繕は、社会通念上契約の趣旨に沿つた使用収益をする上で必要と思われる程度におこなえばよい。

一　「修繕ガ必要ナリト謂フハ修繕スルニ非ザレバ契約デ定マリタル目的ニ従ヒテ目的物ノ使用収益ヲ為スコトヲ得ザル状態ヲ生ジタルコトヲ謂フ。使用収益ガ不能トナリタルコトヲ要セズ。」（鳩山「増訂日本債権法各論」四五四―五頁）。

【2】　木造茅葺平家住宅一棟、土地一筆、建物二棟および水車機械について、賃料を月十八円とする「該賃貸借ハ水車ノ賃貸借ニシテ其目的ハ水車ノ運転ニアリ然ルニ大正三年八月十三日同月二十九日再度ノ洪水ニヨリ堰水門破壊シ附近ノ地盤ハ流失シ水車堀埋没シ其復旧工事ニハ約五百円以上ノ費用ヲ要シ水車ハ全ク其運転ヲ為ス能ハサルニ至」つた場合は賃貸人にこれを修繕復旧する義務がある（大判大正四・一二・一一民録二一・二〇五八）（本件で賃借人は、賃貸人の右修繕義務の不履行を理由に八月分の賃料の支払を拒絶し、裁判所はこれを認めた。後述三【14】参照）。

【3】　「Yは魚類ヲ飼養及ヒ捕獲スル為メニ大正二年二月二十日一ヶ年度ノ賃料ヲ八百三円三十三銭五厘

ト定メ毎年度ノ賃料ハ其一割ヲ前年ノ十月二十日迄ニ残額ヲ其年度ノ始メナル三月二十五日マテニ支払フヘキ約ニテ大正七年三月二十四日迄五ヶ年間係争池沼ヲXヨリ借受ケ爾来之カ使用収益ヲ継続セルコト当事者間ニ争ナキ所ニシテ其賃貸借契約締結ノ際Xカ従前ヨリ高価ノ賃料ヲ支払ハシムル代リ使用収益ヲ十分ナラシムル為メ池沼内ノ一部ヲ一定ノ深サマテ掘下クヘキコトヲYニ約シタル事実ハ原院ニ於テ確定セル所ナレハ此契約ニ因リXニ其掘下ヲ為スヘキ義務アリ又第四樋管カ大正二年八月ノ暴風雨ニテ破壊閉塞シ水ノ新陳代謝ヲ妨ケ魚類ノ生育ニ悪影響ヲ及ホスコト原院ノ確定セル如クナルニ於テハ民法第六百六条ノ規定ニ因リXニ之カ修繕ヲ為スノ義務アリ」（大判大正五・五・二二 民録二二・一〇一一）（本件賃貸借には、右引用したところにあるような年ぎめ前払の特約があつたが、賃借人は大正二年八月の暴風雨による破損を賃貸人が修繕しないことを理由に、大正三年度の賃料の支払を拒んだ。裁判所は、賃料全額の支払を拒むことは出来ないと判示した。なお、後述三【15】参照。）。

【4】 旅人宿の営業を目的として賃借される家屋が洪水のため「旅人宿ヲ営業トスル〔賃借人〕ノ住家トシテハ到底使用ニ堪ヘサ」る程に破損した場合に、賃貸人はこれを修繕する義務を負う（大判大一〇・九・二六 民録二七・一六二七）（本件賃貸借には、賃料を三ヶ月分づつ前払する旨の約定があつたが、賃借人は九月に生じた右破損の未修理を理由として十月からはじまる三ヶ月分の賃料の支払を拒絶し、裁判所に認められた。後述三【16】参照。）。

【5】 「〔鉄骨コンクリート建アパートの中にある〕本件の部屋は四畳と八畳位の広さの部屋で畳敷でなく床面にはキルク製の板が床板の上に張つてあるが、これが四畳の方には入口の辺りに二箇所、八畳の方には寝台の置いてある床の部分を除いて九箇所ばかり大きいものは幅一尺長さ二尺位の、小さいものは足跡位で床板迄深さ五寸位の穴があいていて、その穴の附近はキルク板を支える板が弱いため歩行の都度低下し穴が拡大する危険がある。……この床落ちについて……現況では部屋の使用に甚だしく支障を生じ賃貸人に修繕義務を認めるのが相当である。」（東京地判昭二六・二・二 二下級民集二・二五五）（本件の賃借人はこの修繕を家主が行わないことを昭和二三年七月分以降の賃料支払拒絶の理由として抗弁したのであるが、裁判所は、つぎのようにのべて結局賃借人の抗弁を認めなかつた。「その破損は昭和二四年暮頃より初まつたものであるから、その以前一年有余の賃料の支払を拒絶する理由とはならない。而して継続的な信頼関係を基礎とする賃貸借関係において賃借人が催促を受けながら理由なく一年以上も賃料の支払を怠り、そのため、賃貸人の信頼を全く失つた場合に、床の破損……を理由に爾後の賃料の支払を拒否するというのは信義誠実の原則上到底正当な権利行使と認めることはできない」）。

しかし、他面、使用上「毫モ支障ナキ」程度の、あるいは「社会通念上問題にならない僅かばかりの」破損は、賃貸人が負う修繕義務の範囲には入らない。

【6】「民法六百六条第一項ニ規定スル賃貸人ノ賃貸物修繕ノ義務ハ単ニ賃借人ヲシテ賃貸物ヲ其ノ用法ニ従ヒ使用及ヒ収益ヲ為サシムルニ必要ナル限度ニ止ルモノト解スルヲ相当ト為スヲ以テ原判決ニハ……違法ナシ」(大判昭五・九・三〇新聞三一九五・一四)(原判決は、「本件家屋ハ控訴人〔賃借人〕ノ賃借当時稍々古クナリテ多少破損ノ箇所アリタルモ居住スルニ毫モ支障ナカリシモノニシテ被控訴人〔家主〕ニ修繕義務ノ不履行ナシ」と判示した)。

【7】Xは昭和一五年以来本件家屋(建坪十二坪)をYに賃貸している(賃料は昭和二二年九月から六二円と改訂した)が、Yは昭和二三年二月以降賃料を支払わないので、Xは同年五月、賃料支払の催告をしたのち、その不払を理由に賃貸借契約を解除し、明渡を請求した。Yは、本件家屋が以前から雨漏がするのにXは修繕義務を履行しないのであるから賃料支払につき同時履行の抗弁権を行使する、と抗弁した。本件家屋の雨漏につき裁判所は、「どんな豪雨の際にも絶対に雨漏り又は雨の降込みがないと断定することはできないが通常程度の降雨位ではこれという雨漏りはなくその居住使用に格別の支障を来す雨漏りの生ずるものではない」と認定した。

「(民法六〇六条)にいう修繕が必要であるとは、修繕しなければ契約によつて定まつた目的に従つて目的物の使用収益をなすことができない状態又は使用収益を為すについて著しく支障のある状態を生じたことを指称するものといわなければならない。かような修繕の必要があるにかかわらず賃貸人がその義務を履行しないときは賃借人は賃貸人が修繕義務について履行の提供をなすまで同時履行の抗弁権によつて賃料の支払を拒むことができるのである。尤も民法六〇六条は強行規定ではなく特約によつてこれと異なる定めをすることを妨げるものではない。現時の地代家賃統制令によつて家賃は一般物価と比較して著しく低額に而も借家の修繕費用を殆ど見込み得ない額に抑えられているから、右修繕義務に関する民法の規定は家賃が地代家賃統制令の許容する適正家賃の範囲内である限り自ら排除され適用されないとする見解も十分成立つのであるがそれはともかくとして前述の修繕の必要性のある修繕を賃貸人が履行しないものではない以上は賃貸人が社会通念上問題にならない僅かばかりの修繕をしないことを捉えて賃借人は賃料の支払義務を拒み得る理はないのである。飜つて本件を見ると前記認定のように本件家屋にはYが本件家屋に居住するのに何等の格別の支障を生ずる雨漏りはなく従つてXは之が修繕義務を負担するものではない。のみならず現時の社会通念上問題とするに足りない家屋の不備を理由としてYが賃料の支払を拒絶するのは信義誠実の原則に照して不当という外はない」（京都地判昭二五・五・二〇下級民集一・七一〇）（なお、最判昭三八・一一・二八後掲【13】参照）。

二　賃貸人の修繕義務は修繕が可能な場合にのみ存在する。修繕の不可能な場合は、賃借物の全部又は一部の滅失による履行不能の問題が生ずるのであつて、修繕義務の問題ではない。

修繕の能否は「物理的又は技術的の意味で決せられるべきではなくて取引上の観念に従つて」（末川「債権各論第一部」一六四―五頁）または「経済的にみて」（我妻・債権各論(中の二)四四四）決せられる。「新造乃至改造又は経済上之ト大差ナキ程度ノ工作ヲ加フルニアラザレバ復旧セザル程度ノ毀損ヲ生ジタルトキ」は修繕不能とすべきである（末弘・債権各論五八四―五頁）。

【8】「本件建物は建築後約三〇年間見るべき大修繕をしたこともなく土台石の風化や耐力の低下と相俟ち、殊に建物の構造上平面計画が一階と二階との間仕切にくい違いがあり、上部構造に比して下部は華奢であるため、測らざる地震風雪等の外力に対して耐久力薄弱であり、前示腐損箇所（外廻り基礎石、床下束石、土台及び柱の根元等―引用者）は姑息な修繕では不測の天災地変の場合には極めて危険であつて、その維持保全のためには今直ちに基礎、軸組、外壁、床等改築にも等しい大修繕をすることが必要であると共にかよ

うな大修繕をしなければ早晩腐朽を免れない状態にあること、並びに右必要とする最少限度の大修理の内容は在来基礎を布コンクリート基礎に改造、束石据付直し、建物傾斜不陸を直し、土台柱その他腐朽折損箇所取替、壁体に筋違を入れ、また土台掲げに伴い壁塗替、屋根瓦葺替その他の補修工事で、その費用見積り額は計約三十数万円、工事日程約九十日を要するものと推定せられる。」「凡そ建物の賃貸人は賃貸物の使用及び収益に必要な修繕義務を負い、賃貸人が賃貸物の保存に必要な行為をなさんとするときは賃借人はこれを拒むことができないのであるから（民法六〇六条二項）、賃貸借の継続を前提として賃貸人は賃借人の意に反してでも賃貸物の保存に必要な修繕行為をすることはできるけれども、このことから直ちに大修理等によつて建物の命数が続く限りその維持保存のため必要とする修理補修の規模、費用の程度如何にかかわらず常に賃貸借関係を継続せしめてその修繕義務を負うものと解することはできない。本件の場合賃貸建物の現状は……使用に堪えない程腐朽しているわけではないが、（建物の効用を失うに至ればこれによつて賃貸借は解約申入を俟つまでもなく当然終了することになる）一応木造建物としての耐用命数に達しておるものと認められ、今にして大修理をしなければ早晩朽廃を免れず殊に不測の天災地変の場合には当然倒壊の危険が予想される状態にあり、しかもこれが補修には……解体改築にも比すべき施工と費用を伴う程度の大修理を要し、治安防火等公益上の点からも放置するを得ない状態にあるというのであるから、この場合にも賃貸人が賃貸借関係の廃罷を要求することが許されず、常に賃貸借の存続を前提としてその補修義務を負うと解することは酷に失すると共に、一定の使用命数があつて早晩朽廃を免れない木造建物の賃借人としては、本来その朽廃と共に賃借権消滅の運命を担つている者であり、既に使用命数がきて早晩腐朽を免れないのを蘇生させるための大修理または改築［を］してまで賃貸借を継続することを賃貸人に請求する権利を有するものと解すべき根拠に乏しい。のみならず賃貸借の実体は経済関係であるから賃貸借の存在を前提とする賃貸人の修繕義務の限界についても賃料（本件においては僅かに月額六百円）その他の経済的な相対関係からも考慮せらるべきであつて、たとい借家法七条や地代家賃統制令七条によつて賃料増額の途はあるにしても、それも程度の問題であつて、このことは本件の場合前示解釈の妨げとなるものではない。」「Xの本件解約の申入は首肯すべき相当の理由がある。」（東京高判昭三三・六・四東京高時報九民九二）（なお、建物の朽廃が借家契約の解約申入の正当の事由となることにつき、最判昭二九・七・九民集八・一三三八、同昭三三・七・一七新聞一一〇・四など参照）。

なお、右のような規準に従えば、地代家賃統制令によつて賃料額が一般物価に比して著しく低い額に制限されているという事情も修繕不能に関する問題として考慮されうる（ただし、かかる事情の下であえて修繕を要求する賃借人の行為を信義則に対する違背と見て右と同じ結論に達する立場もある。宗宮信次・債権各論二一一―二頁。後掲判例のなかにもこの立場をとるものがある）。

【9】　YはX所有の家屋（建坪十三坪七合）を昭和十三年から賃借していた。昭和二二年九月以後三度に亘る家賃修正率の告示が出され、その都度Xは家賃の増額請求を行なつたがYは応ぜず、昭和二三年一月以降家賃を払つていない。他方Yは、昭和二二年九月頃から度々、Xに無断で、「単なる家屋の保存行為の範囲を超えた」と認められる改修工事を本件家屋について行なつた。そこでXは、昭和二四年八月に、本件家屋の原状回復と賃料支払を求めたのち、両者の不履行を理由として契約を解除して明渡を請求した。Yは、「Xの値上の請求を拒絶したのはいくら請求してもXが賃貸人として必要な修善義務を履行せず、Yが支出した……修繕費用を弁償しようともしないからであつて賃料増額の請求は失当である。」と抗弁した。

裁判所は右の原状回復の請求についてつぎのように判示した。

「全般的にみて右改修は本件家屋の使用目的たる住居としての用途に何等の変改を加えたものでないのは勿論、改修の形態も……むしろ従来の構造を使用に便宜なよう修理拡張したものとゆうべきで使用上の価値は従来より却つて増加しXとしてはむしろ利益を得たものというべきである。尤も賃借人が賃借家屋に修繕や改良を加えた場合には必要費もしくは有益費の償還の要否が問題となるのであるが、賃借人が統制額の賃料を支払つているような場合に於ては、賃料と賃貸人の家屋に対する税負担や修理費改良費等との比が均衡を失している現状の下では必要費の如きは賃借人に於て負担すべく、ことさら緊切でもない改良工事を加えてその費用の償還を請求するが如きことは許されないと解するのが信義則上妥当である。右改修工事のうち腐朽した柱や土台の修理は必要費に属するものというべく、又、板の間等の新設や座敷の拡張は必しも之を欠くことのできぬような緊切の改良工事とは解し難くしかもXの異議申出をも顧みず敢行したものである……から、……Xの取得し得べき賃料が統制額を超えない本件に於ては、Yが本件改修工事に投じた費用はそれが必要費であるにせよ又有益費であるにせよ之が償還を求むべきでないとゆうべきであり、かく解するに於てはXは本件改修の為利益を得るのみで失うところなきことも明かである。他面Yに対し之が原状回復を強いることにすれば、本件家屋を使用上の価値の劣つた旧状に復せしめることになり、而もその為にYは相当の費用を投ぜねばならぬこととなつて、結局XにとつてもYにとつても失うところがあるだけで得るところはないのである。以上記述した点を総合すれば本件原状回復の請求は何等実益のない不当の要求とゆうべきであるからYが之に応じないからといつて契約解除をなすが如きは信義則上失当なりといわねばならない」（東京地判昭二五・七・一〇下級民集一・一〇七一）（しかし、賃料不払を理由とする解除についてはXの主張が認められ、結局明渡請求が認められた）。

【10】　Xは、Yが賃借家屋の賃料の支払を「数ケ月」怠つたためその支払を請求し、支払がなかつたので賃貸借契約を解除して明渡を請求した。これに対してYは、本件家屋について「五万円以上の自費を投じて屋根、塀、垣、井戸、畳、ふすま、障子等を修理したから、Xがこの費用を償還するまで本件家屋を留置する」と抗弁した。

「民法六〇六条一項は、賃貸人は賃貸物の使用及び収益に必要な修繕をする義務を負う旨を規定しているけれども、右規定は契約自由の原則が支配していた時代に制定されたものであつて、その制定の主要な理由は、賃貸借は有償契約であり、賃貸借に当つては、貸主は需要供給の法則による制約は別としてともかくも賃貸物の修繕費を含む賃料を定める自由を有するという点にあつたものとすべきであるから、賃貸借についてかような基盤が失われ、賃料が法令により統制されるような事態に立ち至つたときは、右規定の適用はその法令の内容に即応して制限を受くべきものと解するを相当とするのであるが、いま問題を家屋の賃貸借に限定して論ずべしとせんか、賃料が昭和十五年以来法令により統制されるに至り、殊に終戦後の地代家賃統制令による終戦前の建築に係る家屋の賃料に関する統制額が一般物価の昂騰を無視するものであり、貸主がその内に修繕費を見込み得ないものであることは顕著な事実であるから、前記民法の規定は右統制令に即応してその適用の制限を受けるに至つたものといわなければならない。しからば賃借家屋の修繕は何人がこれをなすべきであろうか。当裁判所は前記のように貸主が修繕費を見込んだ賃料を定める自由を奪われていることに顧みて終局的に貸主の利益に帰すべき家屋の保存に必要欠くべからざる修繕であつて、これを賃借人に期待することが酷に失するような修繕以外の修繕は、賃借人が義務としてこれをすべきものであると考える。

さてこの見地からYの抗弁の当否について見るに、本件家屋の昭和二四年六月分からの約定賃料が統制額以下であ……り、またそれ以前の……賃料が修繕費を見込んだものでないことはその数額に照らして推認するに難くないから、Xは義務として本件家屋の修繕をなすべき場合もあつたものとしなければならないが、Y主張の修繕はその主張自体からして先の説示にいわゆる賃借人の義務としてYがすべかりし修繕に属するものと推測される。」Yの抗弁は理由がない（東京地判昭二九・五・一一判タ四四・二九）。

【11】 Yは本件家屋をXから賃借していたが、昭和二六年三月分から同二七年三月分まで総計一〇、七七三円の賃料を延滞したので、Xは賃貸借契約を解除し、延滞賃料の支払と家屋の明渡を請求した。Yは、右解除の効果を争ったほか、かりに「Yに延滞賃料の支払義務があるとしても、Xに対し……必要費の償還請求権があるのでこれと対等額において……相殺する」とのべた（Yは昭和二〇年一月から同二六年九月までの間に、硝子戸、屋根、畳表、水道、雨戸、樋、風呂場などの修理に一九、五八五円を支出している）。

「賃貸人の修繕義務は修繕をなすことが可能であって且つその必要のある場合でなければ発生しないものというべく、又修繕につき不相当に過大なる費用を要する場合の如きは法律上修繕不能と解すべきである。又修繕が可能な場合に於ても、終戦以来経験されたように、強度の家賃の抑制が行われている場合には、賃貸人の修繕義務もそれに比例して軽減されると解すべきであり、されば今日に於ても修繕料の負担については一般に賃貸人と賃借人とが協議して決めていることは当裁判所に顕著な事実である。今これを本件について見るに、Yが本件家屋の修繕を為したと認められる……昭和二〇年一月一日より同二六年九月末日までの家賃の合計額は金一三、七九一円六五銭である……。而して右期間中にYが支出した修繕代は……金一九、五八五円であって賃貸人の取得し得る家賃額を遙に超過しているのみならず各個の支出額も支出時の賃料額に比し過大に失しているので到底これを賃貸人たるXの修繕義務の範囲に属するものと認めることはできない。従って又右費用を以て必要費となすことはできない」（大阪地判昭二九・一二・二一下級民集五・二〇七八）（右の理由で、Xの修繕義務不履行を理由とするYの、賃料支払拒絶権・解除無効の抗弁は認められず、ただ有益費として償還請求しうる範囲で延滞賃料償務との相殺が認められた）。

【12】 XはYに対し、本件家屋を、「期限の定めなく賃料一ヶ月金四百円毎月末日払……、Yにおいて右賃料の支払を怠りその額三ヶ月分に達したときは、Xは本件賃貸借を解除し、Yは自己の費用を以って賃借家屋を原状に回復した上Xに明渡すべき(こと)」との約定で賃貸した（右賃料はその後昭和二六年十一月に

三千円に値上げされた)。その後、Yが昭和二七年四月分から引続き賃料を支払わないので、Xは翌二八年十月に本件賃貸借契約を解除し明渡を請求した。Yは、「Xは賃貸人としての修繕義務を怠るので止むなく……本件家屋の賃料の支払を停止した旨主張」した。

「一体双務契約における同時履行の抗弁権は、双務契約における衡平の観念、或は信義則に基いて認められるものであるから、仮りに抽象的には双務契約上の相対応する債権債務関係の間にあつても、具体的事情の上で右抗弁権の行使が衡平を欠き、信義則に反することが明白な場合には、これが行使は許されず、或は権利の濫用として排除されるに至る道理である。本件につきこれを見るのに……僅かな雨漏に対する修繕義務の解怠に対して賃料の支払を停止するが如きは行為は、明かに行き過ぎであつて、法の認める同時履行の抗弁権の範囲を逸脱すること明白であるから、Yの主張は……失当である。」(東京地判昭三一・五・一九下級民集七・一二九二)。

【13】 家屋の賃借人が賃料を支払わないので家主はこれを理由に解除した。賃借人は、家主が本件家屋の修繕義務を履行しないから賃料遅滞の責任は生ぜず解除は無効であると抗弁した。…………原審(大阪高裁)ではつぎの事実が認定された。本件家屋は戦時中に建築せられたもので、被告は昭和二〇年七月から右家屋を賃借居住中であること、昭和二五年九月ジェーン台風で……家屋の周囲の土塀や屋根瓦が破損するなど相当の被害を蒙つたが、土塀や屋根の修理は家主側でしたこと、その後昭和二九年一月頃までの間は、「賃料の統制額によつていた事情もあつて、原被告協議のうえ修理のつど、その費用を折半負担する方法で(被告負担額は賃料額に充当して決済)屋根替、床の根太の取替などの修理が施されてきたこと、その後、右のような協議もなされないで経過したところ、本件家屋は、建築年数の経過に伴い、部分的に破損、腐触の個所を生じ、そのため、その発生の都度部分的には不便、支障があつたが、右破損等の部分については、被告〔=賃借人〕が自己の費用で応急の補修をしてきたこと……、以上の次第であるから、昭和二九年七月以降に

おいては、本件家屋の破損、腐触等の状況は、居住の用に耐えない程、あるいは、居住に著しい支障を生ずる程に至つていないことが認められ〔る〕」と。

原審はつぎのように判示した。

「賃借人が賃貸人の右修繕義務の不履行を理由に賃料の支払を拒みうるためには、賃貸人が右義務を履行しないために賃借家屋の使用収益ができないか、または使用収益に著しい支障の生ずる場合でなければならないと解するのが相当である。しかも、賃貸家屋の賃料が地代家賃統制令の統制に服している場合には、右統制額が逐次の改訂によつてかなり増額された現在でも、なお一般物価に比して低額で家屋修繕費用を殆んど支弁できない事情にあることにかんがみ、前記賃貸人の負担する修繕義務の範囲も、おのずから軽減さるべきもの……と考える。そこで、本件についてみるに、本件家屋は、その賃料が地代家賃統制令の統制に服するものであるところ、……前認定のように、昭和二九年七月以降においては、その破損、腐蝕等の状況は、居住の用に耐えない程、あるいは、居住に著しい支障を生じる程に至つていないものであるから、前記説示により、原告の修繕義務の不履行を理由に前記賃料全部の支払を拒むことはできないものというべきである。」

賃借人は上告。最高裁はつぎのようにいう。

「本件家屋につき、昭和二九年七月以降においては、その破損、腐蝕等の状況は、居住の用に耐えない程、あるいは、居住に著しい支障を生ずる程に至つていないとした原審の認定は、挙示の証拠に照らし肯認できないことはなく、また、その賃料が地代家賃統制令の統制に服するものであることは原審の確定するところである。以上の事実関係の下においては、被上告人〔＝賃貸人—引用者〕の修繕義務の不履行を理由に、賃料全部の支払を拒むことを得ないとした原審の判断は正当」である（最判昭三八・一一・二八民集一七・一一・一四七七）。

三　破損の原因　通説的立場では、賃貸人は、賃貸物の破損が、天災その他の不可抗力によって生じた場合はもちろん、賃借人の責に帰すべき事由によって生じた場合でもこれを修繕する義務を負う、とされる。「破損ノ原因ハ契約ノ本旨ニ従ヒタル使用収益ノ当然ノ結果ナルト否トヲ問ハズ、又当事者何レカノ責ニ帰スベキ事由ニ基クト然ラザル事由ニ基クトヲ区別セザルモノトス。其賃借人ノ責ニ帰スベキ事由ニ基ク場合ニ在テハ一見賃貸人ヲシテ修繕義務ヲ負担セシムルハ不当ナルガ如キモ第六〇六条第一項ノ明文ノ広汎ナル特ニ此種ノ制限ヲ認ムルコトヲ許サザルナリ。故ニ此ノ場合ニハ賃借人ハ別ニ保管義務違反又ハ不法行為ニ因ル賠償義務ヲ負担シ、賃貸人ハ又之ト独立シテ修繕義務ヲ負担スルモノト解スルヲ正当トス。」（末弘・前掲五八五頁、同旨、鳩山・前掲四五五頁、石田文治郎「債権各論講義」一〇二－三頁、我妻・前掲四三－四頁）。

しかし、有力な反対説がある。「〔通説の立場〕は法文には適うが実際上果して適当だろうか。賃貸人に修繕義務なくして、賃借人に賃貸借終了の際修繕せる物を返還する義務又は損害賠償義務ありと解するのが事宜に適して居まいか。賃貸人に修繕義務はなくても修繕の権利はあるから（六〇六条ノ二）賃貸物の保存上も差支なかろう。」（穂積重遠「債権各論及び担保物権法」五六－七頁）。「殊に賃貸人に修繕義務があるとすれば、賃借人は修繕の未済を理由として同時履行の抗弁により借賃の支払を拒み得るといふやうな不当なことにもなる。即ち斯ういふ場合には修繕義務はなく、しかも賃貸人は賃借人の保管義務違反や不法行為上の責任を問ひ得るものと解してよい。」（末川・前掲一六四頁。同旨、戒能・債権各論・一九八頁。なお、一般的に通説の立場に立ちつゝ、「例えば賃借人が故意に賃借物を破壊したようなとき」は「信義の原則上賃借人が賃貸人に修繕を求め得ない」とする見解もある。宗宮・前掲二一二頁）。

三　修繕義務不履行の効果

賃貸人が修繕義務を履行しない場合、賃借人は、債務不履行の一般的効果としての損害賠償請求権(民四一六)や解除権(民五四一)のほかに、賃料債務の履行拒絶権を取得する。

かつて判例は、賃貸人が修繕義務を履行しない以上、賃借人には賃料支払の義務はないのであって、使用し得た期間に関係なく賃料全部の支払を拒み得る、と判示した。

【14】「(賃貸人)ガ修繕義務ヲ履行セサルハ則チ債借人ヲシテ使用収益ヲ為サシメサルモノニ外ナラス而シテ賃貸人カ賃借人ヲシテ使用収益ヲ為サシムルノ義務ハ賃貸借ノ期間継続シテ時時刻々ニ之ヲ履行スヘク賃料ナルモノハ其既ニ為サシメタル使用収益ニ対シ之ヲ支払フノ義務アルモノナルコトハ賃貸借カ使用収益ノ継続給付ヲ目的トスルモノナルコトノ性質殊ニ賃料支払ノ時期ニ関スル民法第六百十四条ノ規定ニ照シ疑ヲ容レサル所ナレハ賃貸人カ修繕義務ヲ履行セサル為メ目的物カ使用収益ニ適スル状態ヲ回復セサル間ハ賃借人ハ賃料支払ノ義務ナキモノト謂ハサルヘカラス」「本件賃貸借ハ水車運転ノ目的ヲ以テ之ヲ為シタルモノナルコトハ原判決カ……確定シタル所ナレハ修繕義務ノ違背ニ依リ水車ノ運転ヲ為シ能ハサル以上ハ賃料全部ノ支払義務ナキモノ」(大判大四・一二・一一前掲【2】事案について同所参照)。

ところが、この判例は、翌年、大判大正五年五月二二日(前掲【3】――事実関係については同所参照――)において修正された。

【15】「民法六〇六条ノ規定ニ因リX(賃貸人)ニ之カ修繕ヲ為スノ義務アルヲ以テXカ此等ノ義務ヲ履行セサルトキハ賃借人タルYハXニ対シ不履行ニ因ル損害賠償ノ請求又場合ニ従ツテハ賃料減額ノ請求ヲ為

スコトヲ得ヘシ然レハ其理由ヲ主張シテ賠償若クハ減額ヲ受クヘキ限度ニ於テ賃料ノ支払ヲ拒ムコトヲ得ヘケンモ其限度以外ハ之カ支払ヲ拒ムコトヲ得サルモノト為ササルヘカラス若シ然ラスシテ全部ノ支払ヲ拒ムコトヲ得ルモノトセハYハ継続シテ使用収益ヲ為セルニ拘ラス掘下及ヒ修繕義務ノ履行セラレサリシ間ノ賃料ハ遂ニ之ヲ支払フコトヲ要セサルカ如キ不条理ナル結果ヲ来スヘシ故ニ仮令掘下及ヒ修繕義務ノ履行セラレサル事実アレハトテ直ニYハ賃料ノ支払ヲ拒絶スルノ権利アルモノト謂フヘカラサルノミナラスYカ大正三年度ノ賃料ヲ支払ハサル為メ同年四月七日Xノ為シタル催告ハ約定ノ賃料ノ全額ノ支払ヲ求メタルニ非スシテ其三割ヲ減シタル額ノ支払ヲ求メタルモノナルコト原院ノ確定セル所ナレハ此請求額ニシテ相当ナランカYハ之カ支払ヲ拒ムコトヲ得サル筋合ナルヲ以テ原院ハ須ラク其額ノ当否ヲ審究シテYニ支払ヲ拒ムノ権利アルヤ否ヤヲ判定セサルヘカラス然ルニ事茲ニ出テスシテ単ニXカ掘下及ヒ修繕義務ヲ履行セサルコトヲ理由トシテ直ニYニ賃料ノ支払ヲ全然拒絶スルノ権利アリトシテ従テXニ契約ヲ解除スルノ権利ナシト判定シタルハ不法」(大判大五・五・二二民録二二・一〇一一)。

右の判例は賃料前払の約定ある賃貸借であり、かゝる場合の賃貸人の修繕義務不履行に対して賃借人は次期分の賃料について——一定の割合で——履行を拒絶しうることを認めたものであるが、この点はその後の判例によつて確認された。

【16】「賃貸人カ賃貸物ヲ賃借人ニ引渡シ之カ使用収益ヲ為サシムルニ当リ賃貸人ノ有スル修繕義務カ賃借人ノ賃料支払ノ時期以前ニ発生シ既ニ之ヲ履行スヘキモノナル場合ニ於テハ縦令其支払時期ハ賃料ヲ前払スヘキ時期ナルトキ雖モ賃貸人ニ於テ修繕義務ヲ履行セサレハ賃借人ハ完全ニ賃借物ノ使用収益ヲ為スコト能ハサルヲ以テ賃貸人カ其有スル修繕義務ヲ履行スル迄ハ賃料ノ支払ヲ拒絶シ得ヘキハ賃貸借ノ双務契約タ

ル性質上当然ニシテ民法五三二条ニ依ル同時履行ノ抗弁権ト謂フヲ妨ケス然レハ原審カ……Yニ於テ賃料前払ノ時期ニ之ヲ支払ハサルモ遅滞ノ責ナキモノト為シタルハ相当」（大判大一〇・九・二六民録二七・一六二七前掲【4】——事案については同所参照、我妻・判民一三五事件）。

右の大正五年五月二二日の判例【15】は、さらに、賃借人は使用収益できなかつた割合に応じて「賃料減額ノ請求ヲ為スコトヲ得ヘシ」と判示しているが、これについては異論があつた。

「民法上借賃債務ハ賃貸人カ物ノ使用収益ヲ為サシムベキコトヲ約スルニ対シテ負担セラルルニ過ギズシテ実際完全ナル使用収益ヲ許与セルコトニ対シテ負担セルモノト解スル根拠毫モ存セ(ズ)。故ニ賃貸人其債務ヲ履行セザルガ為メ賃借人亦反対債務ヲ免ルルノ理由ナク、単ニ……一時其支払を拒絶シ得ルニ過ギザルナリ。或ハ吾民法ノ解釈トシテ独逸民法ト同一ノ主義（「賃貸人が賃借人ヲシテ約定ノ使用収益ヲ為サシメザル間ハ其程度如何ニ依リテ賃借人ハ当然ニ借賃ノ全部又ハ一部ヲ免ルルモノト」する——引用者）ヲ認メントスル者之ナキニアラズト雖モ、此種ノ論ヲ支持スル為ニハ民法上借賃ハ実際完全ナル使用収益ヲ許与シタルコトニ対シテ支払ハルベキモノナルコトヲ証スルコトヲ要ス。而カモ民法上毫モ其論拠トスベキモノナ キ ナリ。」（末弘・前掲五八二—三頁、なお五八六—七頁。鳩山・前掲四五六—七頁も同旨。なお同書は「若シ賃借人ガ其支払フベキ賃金ノ範囲ヲ減少セントセバ、此債務ト、修繕義務ノ不履行ニ因ル損害賠償請求権トニ付テ相殺ヲ為スコトヲ要ス。」とのべる）。

しかし、今日の通説は、右の判旨を支持し、その根拠として、六一一条を「類推」または「準用」する（末川・前掲一六五頁、我妻・前掲四四四頁。——たゞし右判例のうけとり方に若干疑問がある——広中・債権各論講義（第二分冊）昭和三七年四五頁）。

四　修繕義務免除の特約

賃貸借の修繕義務は特約によつて免除することができる。かゝる特約は、通常、「修繕は賃借人の負担とする。」という形をとると思われるが、かゝる条項の解釈について二つの点が問題となる。一は、それぞれの特約が、積極的に賃借人に修繕義務を負わせるものか、あるいは単に賃貸人の修繕義務を免除するに止まるものかという問題であり、他は、それぞれの特約によつてどの程度までの破損の修繕が義務として負わされまたは免除されるかという問題である。

前者については、通常の場合は、単に賃貸人の義務を免除するに止まる趣旨であるが、「特別の事情」があれば賃借人に義務づける趣旨と解されうる。

【17】　「Xは昭和一四年二月一日Yとの間に（映画館用の）建物二棟及び備付け椅子其の他営業用什器類一切現存の儘で、（一）期限を同年六月一日から昭和一九年五月三一日迄とし、（二）賃料は一ヶ月金二五〇円毎月二五日限りその月分を支払う。（三）本件物件は特殊のもので毎月多数の観客を収容し破損腐朽甚しいため減価償却名義でYはXに一ヶ月四五〇円を毎月二五日限り支払う。（四）期間満了の際の契約更新は六ヶ月前に双方協議する。（五）雨漏等の修繕はXに於てするけれども営業上必要な修繕はYがする。（六）Yは本件賃借物件を絶対に転貸することができない。（七）Yは保証金としてXに金三千円を提供する。（八）建物の改造はXの承認がなければYはこれをしてはならない。（九）Yがこの条項を履行せず又は違背したときはこの契約は無効とする。（十）前項により本契約が無効となつたときはXは保証金を没収する。（十一）期間満了し

Yに契約違背がないときはXは保証金をYに返還する。旨の賃貸借契約を締結」した。この契約は昭和十九年の期間満了のとき更新された（右(三)項の「減価償却名義」の金額は昭和二二年六月一日以降金一九、七五〇円に増額された）。その後Xは、Yが右契約条項の一および三(賃料不払)、五(修繕義務不履行)および七（転貸禁止）に違反したとして契約を解除し、本件家屋の明渡を求めた。原審は結局Xの請求をしりぞけたが、修繕義務の違背についてはつぎのように判示した。「右修繕に関する条項は『雨漏等の修繕だけは賃貸人の方でするけれども、あとは知らない。営業上の必要な修繕は賃借人の方でやつてもらいたい。』というだけの意味であり、修繕における賃貸人の負担の限界を定めたものであつて、賃借人の営業のために必要な修繕を、賃借人の賃貸人に対する営業上の義務として負担させることは道理に合わないし、又賃借人の営業のために必要な修繕を、賃借人に義務づけたものではないといわなければならない。このことは、建物及び設備一切の賃貸料として月金二五〇円と定めた条項の外に「本賃貸借物件は特殊のもので、毎月多数の観客を収容するため、破損腐朽甚しきにより、減価償却金として月金四五〇円を支払うものとする。」との条項の存すること……によれば一層明白であつて、賃貸料に関する契約条項の外に減価償却金支払についての条項を別に定め、なお且つ、賃借人の営業のために必要な修繕を、賃借人に義務づけるなどのことは、通常人間の取引では考えられないことである。」と。これについて最高裁の多数意見はつぎのように判示した。

「原判決が右判断の理由として判示したところは、(1)賃借人の営業上必要な修繕を賃借人の賃貸借契約上の義務として負担させることはそれ自体道理に合わないこと、及び(2)本件賃貸借については賃料以外に減価償却金をも支払う条項があるので、その上更に前記修繕義務までも賃借人に負担させることは通常人間の取引では考えられないこと、の二点につきるものである。けれども、「本件賃貸借の目的たる建物二棟がともに映画館用建物で、これに備付の長椅子その他の設備一切をも貸借の目的としたものであることは、原判決の確定するところであつて、これら賃貸借の目的物がその使用に伴い破損を生じた場合、これに適切な修繕を加えて能う限り原状の維持と耐用年数の延長とをはかることはもとより賃貸人の利益とするところであるから、たとい右修繕が同時に賃借人の営業にとり必要な範囲に属するものであつても、その範囲においてこれを賃借人の義務として約さしめることは、何ら道理に合わないこととなすべきではない。また、いわゆる減価償却金とはいかなる趣旨のものかにつき原判決は何ら説示するところがないので、賃料の外右減価償却金をも支払う条項があるからといつて、なぜ修繕義務を賃借人に負担させることが通常人間の取引においては考えられないのか、その理由を首肯せしめるに足らない。」原判決を、理由不尽として、破棄差戻。

これに対し、二裁判官の反対意見はつぎのようにのべた。

「住宅の賃貸借で畳替は賃借人においてこれをするという特約はよく普通に行われているのであるがこれを賃貸人は畳替という修繕義務を負担しない、畳替は賃借人の方でやつてもらいたいという趣旨で賃借人に畳替の義務を負担せしめる趣旨でないことは言を俟たないところである。そして右の場合でも特別の事情があれば特約で賃借人に畳替の義務を負わせることを妨げるものではないが、契約の条項に賃借人に修繕義務を負わせる旨を明定した場合は格別単に畳替は賃借人においてこれをすると定めている場合には特別の事情のない限り賃借人に畳替の義務を負担せしめる趣旨でないとみるのが相当である。本件は映画館の賃貸借で住宅の賃貸借ではないが理は全く同一であつて、これを別異に解すべき理由はない。従つて本件賃貸借における前示条項は特別の事情のない限り単に賃貸人……の修繕義務の限界を定めたもので賃借人……に営業上必要な修繕の義務を負わせた趣旨でないと解するのが相当である。そして右の特別事情のあつたことは本件弁論の全趣旨からこれを認めることができないのみならず、原判決が説明するように本件賃貸借については賃料以外に減価償却金支払についての条項があるので、この点からも営業に必要な修繕義務を賃借人……

に負担せしめる特別の事情がないのが窺知し得られるから原判決の判断は正当である。」（最判昭二九・六・二五民集八・一二二四）（明石・民商三一巻四三三頁。本件の多数意見と少数意見とはその理論的出発点において同じだが、少数意見が本件には「特別の事情」が認められないとしたのに対し、多数意見は、おそらく消耗破損のはげしい映画館用建物設備の貸借であること、賃料が他の同種の賃貸借契約に比してやすいこと――上告理由で指摘された――などから、「特別の事情」を認めたものである）。

修繕義務を賃借人に課す旨の特約は、通常の場合、大修繕についてまで効果を及ぼさないものと解される。

【18】「家屋ノ賃貸借ニ付特約ニ依リ賃借人ニ於テ小修繕ヲ為スノ義務ヲ負担スルコトハ敢テ異トスヘキニ非スト雖……屋根替又ハ柱ノ根継等ノ大修繕ヲ為スノ義務ヲモ賃借人ニ於テ負担スルコトハ特別ノ事情ナキ限リハ之ヲ認ムルコトヲ得サルモノトス而シテ本件ニ付Yハ原審ニ於テ係争家屋ノ賃貸人タルXハ該家屋ノ修繕義務ヲ履行セサルカ故ニ賃借人タルYハ賃料不払ニ付遅滞ノ責ナシト抗弁セルモノニ係リ其ノ修繕ヲ要スル破損ノ程度カ大修繕ヲ要スルモノナルヤ将又小修繕ヲ以テ足ルモノナルヤ明瞭ナラサルモノトス然ルニ原審ハ此ノ点ヲ釈明セシメス且特別ノ事情アリタルコトヲ説明セスシテ漫然家屋ノ修繕ハ特約ニ依リ上告人ノ負担セルモノナリト判示シYノ右抗弁ヲ排斥シ……タルハ……違法」（大判昭二・五・一九裁判例(二)民七二頁）。

【19】本件家屋の所有者Xは、昭和七年十二月以来のYとの賃貸借終了を原因とする明渡請求をしたが、Yは、「昭和九年九月二一日ノ関西大風水害ノ為メ……右家屋ノ屋根修繕其ノ他家屋ノ修繕費トシテ合計二〇三七円七一銭ヲXノ為メ立替支出シテ家屋ヲ修理セルヲ以テ之レカ償還請求権ノ為メ留置権ヲ主張ス」と抗弁した。原審は、本件賃貸借には「家屋ニ対スル如何ナル所要修繕モ賃借人タルYノ負担タル可キ特約」があることを認定して、右抗弁をしりぞけた。大審院は、これを「審理不尽理由不備ノ不法アリ」とした。

「原審ノ採用シタル証人……ハ本件家屋ノ賃貸借契約ニハ家屋ノ修繕ハ総テ賃借人ノ負担トスル特約アリ

ト証言シタルニ過キサルコト……明カニシテ該証言ハ本件契約当時当事者ノ予想シ得ヘキ程度ノ家屋破損ニ関スル修繕ニ対スル特約アリタリトノ趣旨ニ外ナラサルヲ窺知スルニ難カラス未タ以テ通常人ハ勿論何人モ概ネ事前ニ於テ予想シ得サルカ如キ本件稀有ノ大天災ニ因ル家屋ノ大破損ノ修繕迄ヲモ包含スル趣旨ノ証言ナリトハ解シ得サルヲ以テ該証言ニ依テハ結局原審判定ノ前記事実ヲ認定スルヲ得サルニ帰(ス)……加之昭和九年九月二十一日ノ関西ノ大風水害ハ数十年来未タ嘗テ見サル稀有ノ大災害ニシテ本件ノ如ク屋根ハ飛ヒ屋根瓦ハ殆ト破損シタル場合ノ被害ノ大修繕ニシテ金二千余円ノ費用ヲ必要トスル場合ニ付テモ尚ホ一ケ月ノ賃料金五十五円三十五銭ノ定メナル賃借人ノ負担トスルカ如キハ通常有リ得ヘカラサル所ナルヲ以テ若シ斯ル特約成立シタリトセハ他ニ首肯スルニ足ル可キ特別事情ノ存スルモノナラサルヘカラス原審ノ説示スルカ如キ本件賃料ノ低廉ナリトノ理由ハ未タ以テ首肯スルニ足ル事由ト解シ得サルハ多言ヲ要セサル所ナリ左レハ原審ニ審理不尽理由不備ノ不法アリ」（大判昭一五・三・六新聞四五五一・一二）。

高等裁判所判例

地方裁判所判例

区裁判所判例

判例索引

大審院判例

最高裁判所判例

控訴院判例

著者紹介

中《ちゅう》馬《ま》義《よし》直《なお》　神奈川大学助教授

来《くる》栖《す》三《さぶ》郎《ろう》　東京大学教授

太《おお》田《た》知《とも》行《ゆき》　東京教育大学助教授

望《もち》月《づき》礼《れい》二《じ》郎《ろう》　東北大学助教授

総合判例研究叢書　民　法(27)

昭和 40 年 10 月 25 日　初版第 1 刷印刷
昭和 40 年 10 月 30 日　初版第 1 刷発行

著作者　中馬義直
　　　　来栖三郎
　　　　太田知行
　　　　望月礼二郎

発行者　江草四郎

東京都千代田区神田神保町2～17

発行所　株式会社　有斐閣

電話 東京(265)6811(代表)
振替口座東京370番

印刷　大日本法令印刷・製本　稲村製本

総合判例研究叢書 民法(27)(オンデマンド版)

2013年5月15日　発行

著　者　中馬　義直・来栖　三郎・太田　知行・
　　　　望月　礼二郎

発行者　江草　貞治

発行所　株式会社 有斐閣
〒101-0051　東京都千代田区神田神保町2-17
TEL　03(3264)1314(編集)　03(3265)6811(営業)
URL　http://www.yuhikaku.co.jp/

印刷・製本　株式会社 デジタルパブリッシングサービス
URL　http://www.d-pub.co.jp/

AG480

ISBN4-641-91006-5

Printed in Japan